Romania

ALCOR
EDIMPEX
s r l

Coperţi: Pasul Bran. În fundal Castelul Bran, construit de braşoveni între anii 1377-1382. Astăzi Muzeu de Artă Medievală. Face parte din traseul turistic Dracula.

Covers: The Bran mountain pass. In the background the Bran Castle built by the citizens of Braşov over 1377-1382. At present it houses a Museum of Medieval Art. It is part of the Dracula touristic route.

Umschlag: Der Bran-Pass. Im Hintergrund die Törzburg, die von den Kronstädtern zwischen 1377-1382 erbaut wurde. Heute Museum für mittelalterliche Kunst. Gehört zur touristischen Dracula-Tour.

Couvertures: Le Pas de Bran. Au fond, le Château de Bran construit par les Braşovois entre 1377-1382. Aujourd'hui Musée d'Art Médiéval. Inclu dans le trajé touristique de "Dracula".

Descrierea CIP a Bibliotecii Naţionale a României
FIRUŢĂ, CORINA
     România / Corina Firuţă ; trad în lb. engleză: Augusta Caterina Grundbock ; trad. în lb. franceză: Paula Romanescu ; trad. în lb. germană: Hans Liebhardt - Ed. a 2-a - Bucureşti : Alcor Edimpex, 2005
     Bibliogr.
     ISBN 973-98935-6-2

I. Grundbock, Augusta Caterina (trad.)
II. Romanescu, Paula (trad.)
III. Liebhardt, Hans (trad.)

913(498)

Coordonare: **Corina Firuţă** şi **Cori Simona Ion**
Fotografii de: **Viorel Simionescu – EFIAP, Steliana Preda, Vasile Polizache – EFIAP,**
Cristian Lascu, Emanuel Pârvu, Ştefan Petrescu, Florin Hornoi, Marius Morariu,
Dumitru F. Dumitru, Cori Simona Ion, Paula Romanescu, Livia Munteanu
Prelucrare imagini pe calculator: George Neacşu
Tehnoredactare pe calculator: Cori Simona Ion
Editare DIRECT-TO-PLATE cu platesetter basysPrint UV-710S SC **ZOOMSOFT** SRL

Romania

Date din istoria României

600000 – 7000 î.Chr. Pe teritoriul carpato-danubian nu s-a resimţit niciodată influenţa calotei glaciale, aici au existat din paleolitic condiţii de vieţuire umană. Arme şi unelte primitive din piatră şi os au fost găsite în toate regiunile României, ca şi pictura pe stâncă de la Cuciulat datând din această perioadă.

7000 – 2700 î.Chr. Cercetători de la Universitatea din Cambridge susţin că pe teritoriul carpato-dunărean s-a aflat în neolitic Vechea Europă a arienilor primitivi, adică a pelasgilor. De aici, civilizaţia s-a extins până în India, în Africa, în anticul Summer. Troienii, etruscii, hitiţii, **geţii, dacii**, macedonenii ş.a sunt popoare trace, adică urmaşi ai marelui imperiu Pelasg. Dovezile acestor afirmaţii sunt în primul rând lingvistice. Numeroase locuri din România poartă nume identice cu nume de zei şi localităţi din textele sanscrite şi sumeriene. Multe cuvinte şi forme de sintaxă ale acestor limbi se aseamănă. Plăcuţele de lut ars descoperite la Tărtăria, pe Mureş, datate 5200 î.Chr. (1) sunt inscripţionate cu semne care abia peste o mie de ani vor fi folosite în alfabetul sumerian. Relicve valoroase ale culturilor neolitice dezvoltate în etape succesive, pe întreg teritoriul României, sunt expuse în muzeele ţării (2-"Gânditorul şi femeia sa", cultura Hamangia, jud. Constanţa, 5000 î.Chr; 3-Vas de lut din cultura Cucuteni, dezvoltată în Moldova, SE Transilvaniei şi NE Munteniei, 3000 î.Chr; 4-"Zeiţa" de la Vidra, Jud. Giurgiu, 3000 î.Chr)

Data from the History of Romania

600000 – 7000 B.C. The influence of the ice cap was never felt on the Carpatho-Danubian territory, where ever since the Paleolithic conditions for human life existed. Primitive arms and tools were found throughout Romania's territory, as well as the paintiny on rock from Cuciulat, dating back to this period.

7000 – 2700 B.C. Research workers from Cambridge University have endorsed the idea that in the Neolithic, Primeval Europe of the primitive Aryans, that is, of the Pelasgians, was sited within the Carpatho-Danubian space. From there civilization expanded as far as India, Africa and ancient Summer.

The Trojans, Etruscans, Hittites, **Getac, Dacians**, Macedonians a.o. were Thracian peoples, that is descendants of the large Pelasgian empire. Numerous names of places in Romania have identical names with those of gods or places from Sanskrit and Sumerian texts. The tablets of baked clay (1), discovered at Tărtăria, on the Mureş river, dated 5200 B.C., are inscribed with characters, which were subsequently used in Sumerian writing, one thousand years later. Valuable vestiges of the Neolithic cultures, which developed along successive stages, are exhibited in all the museums of this country. (2- The "Thinker and his Woman", Hamangia culture, Constanţa c., 5000 B.C.; 3- Baked clay vase from the Cucuteni culture, which developed in Moldavia, the S.E. of Transylvania and the N.E. of Wallachia, 3000 B.C.; 4-"The Goddess" from Vidra, Giurgiu county, 3000 B.C.)

2700 – 1200 î.Chr; 1200 – 106 î.Chr. Epoca bronzului şi respectiv a fierului sunt bogat reprezentate prin descoperiri arheologice. (5-Carul votiv de bronz de la Bujoru, jud. Teleorman, sec.VIII î.Chr; 6-Coiful getic de aur de la Coţofeneşti, jud. Prahova, sec.IV î.Chr).

În anul 50 î.Chr., marele rege Burebista şi preotul Deceneu au unificat un stat geto-dac puternic, care stăpânea la vest până la Dunărea mijlocie, la nord-vest până la munţii Slovaciei, la sud până la munţii Balcani, la est până la Nistru şi Marea Neagră. Capitala Sarmizegetusa era o cetate situată în munţii Grădiştei cu un sistem de fortificaţii întins pe o suprafaţă de 200 kmp. Cuiele folosite de daci, descoperite aici, au uimit pe specialişti. Au o puritate de 99,98% Fe şi sunt acoperite cu trei straturi moleculare de vopsea, astfel

2700 – 1200 B.C.; 1200 – 106 B.C. The Bronze Age and respectively the Iron Age are richly represented by archaeological finds. (5-The votive chariot of bronze from Bujoru, Teleorman C., the 8th c. B.C.; 6-The Getic gold helmet from Coţofeneşti, Prahova c., 4th c. B.C.)

In 50 B.C. the great king Burebista and the High Priest Deceneu united a powerful Geto-Dacian state: to the west as far as the middle Danube, to the north-west to the mountains of Slovakia, to the south to the Balkan Mountains, to the east to the Dniester and the Black Sea. The capital Sarmizegetusa had a fortification system expanding over 200 sqkm. The nails, used by the Dacians - discovered here - have amazed the experts. They boast of a purity of 99.98 per cent iron and are covered by three molecular layers of paint, so that they have

Angaben aus der Geschichte Rumäniens

600000 – 7000 v.Chr. Im Karpaten- und Donauraum war der Einfluss der Eiszone niemals zu verspüren, bereits in der Altsteinzeit bestanden hier Voraussetzungn für menschliches Leben. Waffen und primitive Werkzeuge wurden in allen Regionen aufgefunden, wie auch die Felsmalerei von Cuciulat.

7000 – 2700 v.Chr. Die Forscher von der Universität Cambridge behaupten, dass sich in der Jungsteinzeit im Karpaten- und Donauraum das Alte Europa der primitiven Arier befunden hat, also der Pelasgen. Von hier aus hat sich die Zivilisation bis Indien und Afrika ausgedehnt, ins antike Summer. Die Trojaner, Etrusker, Hititen, **Geten, Daker**, Mazedonier u.a. sind thrakische Völker. Zahlreiche Orte in Rumänien führen identische Bezeichnungen mit solchen von Göttern und Ortschaften in den sanskriten und summerischen Texten. Es gleichen sich viele Wörter und Syntaxformen dieser Sprachen. Die Tontäfelchen (1), die in Tărtăria am Mureş entdeckt wurden, 5200 v. Chr. datiert, beinhalten Schriftzeichen, die erst tausend Jahre später im summerischen Alphabet verwendet werden sollten. Wertvolle Zeugnisse der Kulturen der Jungsteinzeit, die sich in aufeinanderfolgenden Etappen entwickelten, sind in allen Museen des Landes ausgestellt. (2-"Der Denker und seine Frau", Hamangia-Kultur, Kr. Constanţa, 5000 v. Chr.; 3-Tongefäss aus der Cucuteni-Kultur, entwickelt in der Moldau, im SO Transsilvaniens und NO Munteniens, 3000 v. Chr.; 4-Die Göttin von Vidra, Kr. Giurgiu, 3000 v.Chr.)

Dates de l'histoire de Roumanie

600000 – 7000 av. J.Ch. Sur le territoire carpato-danubien l'influence de la calotte glaciaire ne fut jamais ressentie; des conditions d'existence humaine y furent propices dès le paléolithique. Dans toutes les régions on a trouvé des outils et des armes primitifs ainsi que de la peinture rupestre à Cuciulat.

7000 – 2700 av. J. Ch. Chercheurs de l'Université de Cambridge soutiennent l'hypothèse que sur le territoire carpato-danubien il y avait en néolithique l'Ancienne Europe des Ariens primitifs, c'est-à-dire des Pelasges. C'est de là que la civilisation arriva en Inde, en Afrique, en ancien Summer. Les Troyens, les Etrusques, les Hittites, **les Gettes, les Daces**, les Macédoniens etc. ce sont des peuples traces. Beaucoup de territoires de Roumanie portent des noms de dieux ou de localités inscrits dans les textes sanscrits et sumériens. Beaucoup de mots ainsi que des formes syntaxiques de ces langues se ressemblent. Les tables en terre cuite (1) découvertes à Tàrtària de Mureş, datées 5200 av. J. Ch. comportent des signes que l'on retrouvera dans l'alphabet sumérien mille ans plus tard. Dans tous les musées du pays il y a des reliques précieuses des cultures néolithiques successives développées (2-"Le Penseur et sa femme", la culture de Hamangia, dép. de Constantza, 5000 av. J.Ch.; 3- Bol en terre - la culture de Cucuteni dévelopée en Moldavie, au S-E de la Transylvanie et au N-E de la Valachie, 3000 av. J.Ch.; 4-La Déesse de Vidra, dép. de Giurgiu, 3000 av. J.Ch.)

4   **5**   **6**   **7**

2700 – 1200 v.Chr; 1200 – 106 v.Chr. Die Bronze- und bzw. Eisenzeit sind durch archäologische Funde reich vertreten. (5-Der bronzene Votivwagen von Bujoru, Kr. Teleorman, VIII. Jh. v.Chr.; 6-Der goldene Getenhelm von Coţofeneşti, Kr. Prahova, IV. Jh. v.Chr.)

Im Jahre 50 v.Chr. haben der König Burebista und der Priester Deceneus einen starken geto-dakischen Staat geschaffen, der im Westen bis zur Mittleren Donau reichte, im Nord-Westen bis zu den Bergen der Slowakei, im Süden bis zum Balkan-Gebirge, im Osten bis zum Djestr und Schwarzen Meer. Die Hauptstadt Sarmizegetusa war eine Festung in den Grădiştei-Bergen, mit einem Befestigungssystem, das sich auf 200 km² ausdehnte. Die von den Dakern verwendeten Nägel, die hier gefunden wurden, haben die Fachleute in

2700 – 1200 av. J. Ch.; 1200 – 106 av. J.Ch. L'âge du bronze et celle du fer sont richement représentées par les découvertes archéologiques. (5-Le char votif en bronze de Bujoru, dép. de Teleorman, VIII-e. s., av. J. Ch.; 6-Le casque gétique en or de Coţofeneşti, dép. de Prahova, IV e.s. av. J.Ch.)

En 50 av. J.Ch. le grand roi Burebista et le prêtre Deceneu unifièrent un puissant Etat geto-dace qui s'étendait à l'Ouest jusqu'au Danube, au Nord-Ouest jusqu'aux montagnes de Slovaquie, au Sud jusqu'aux montagnes de Balkans, à l'Est jusqu'au Dniestr et la Mer Noire. La capitale de Sarmizegetusa était une cité située dans les montagnes de Gràdishtea entourée d'un système de fortifications déployées sur 200 Km carrés. Les clous œvrés par les Daces, y découverts, éblouissent les spécialistes. Leur pureté est de 99,98% Fe et furent încât n-au ruginit timp de peste două milenii.

După războaiele din 101 – 102 și 105 – 106 d.Chr. purtate de împăratul Traian împotriva regelui dac Decebal, romanii au ocupat sudul Daciei, inclusiv capitala, care a devenit Ulpia Traiana Sarmizegetusa. Romanii au scos din apele Sargeției (râul Someș) imensul tezaur dac, apreciat la 165000 kg aur și 331000 kg argint. (7-Daci sculptați pe Columna victoriei inaugurată de Traian în anul 113 d.Chr.) Stăpânirea romană în Dacia a durat 165 de ani și a însemnat ridicarea multor castre militare și civile cu construcții monumentale, drumuri, exploatări miniere și organizarea politico-administrativă pe sistem roman, cu municipii conduse de prefecți.

Această perioadă istorică este considerată geneza poporului român, prin tradiție însemnând și începerea creștinării, prin Apostolul Andrei care a predicat pe teritoriile din sudul-estul țării.

Năvălirile barbare au slăbit Imperiul Roman, care și-a retras armata din Dacia în **275 d.Chr.** dar legăturile comerciale și culturale nu au încetat.

Între sec. III-VI pe acest teritoriu sunt cunoscute 42 de Episcopii, cu școli, din care s-au afirmat eruditi acceptați astăzi de literatura universală. (8-patena mitropolitului din Tomis, 498-512 dChr; 9-donarium creștin de bronz sec.IV dChr.)

În sec. IV-IX Goții, hunii, slavii, avarii, au trecut peste teritoriul Daciei, o parte din ei fiind asimilați de populația locală, alții așezându-se în Câmpia Panonică și la sud de Dunăre.

Începând cu sec. IX d.Chr. cronicile îi numesc pe conducătorii de oști Gelu, Glad și Menumorut în Transilvania și Banat și mai târziu, în **1230** pe voievodul Litovoi, în Țara Hațegului, toți împotrivindu-se încercărilor de cucerire ale regatului ungar. La sfârșitul **sec.XII** se formează voievodatul Transilvaniei, care-și va păstra, în cadrul Ungariei, un pronunțat caracter de autonomie.

În sec. XIV, Basarab I reușește unificarea fomațiunilor statale românești, în zona dintre Carpați și Dunăre, cu numele Țara Românească. În Moldova se formează alt stat românesc sub conducerea lui Bogdan. Întemeierea Mitropoliilor Țării Românești (**1359**) și Moldovei (**1382**) consolidează ortodoxia ecumenică în fața ofensivei catolice și legitimează religios cele două state.

Reacția ungară în Transilvania îi obligă în anul **1366** pe nobilii români să treacă la catolicism sau să renunțe la privilegiile nobiliare. Astfel, prin catolicizare, românul Iancu de Hunedoara (11) va ajunge principe al Transilvaniei (**1441-1456**) iar fiul său Matias Corvin, chiar rege al Ungariei.

Începând cu sec. XIV, Imperiul Otoman își va afirma autoritatea în zonă timp de câteva sute de ani, dar Țara Românească și Moldova își vor păstra entitatea politico-administrativă și religioasă. Transilvania va fi autonomă sub protecția Porții, în timp ce țările din jur - Iugoslavia, Bulgaria, Ungaria - vor deveni pașalâcuri turcești.

În sec.XV-XVI, domnitori ca Mircea cel Bătrân (10), Vlad Țepeș (12) și

not rusted in the course of two thousand years.

After the wars of 101 – 102 and 105 – 106 A.D. *waged by emperor Trajan against king Decebal, the Romans occupied the south of Dacia, the capital city included, which became Ulpia Traiana Sarmizegetusa. The Romans brought out from the waters of the Sargetia (the Someș river) the huge Dacian treasure, estimated around 165.000 kg of gold and 331.000 kg of silver. (7-Dacians sculptured on the Column of Victory, inaugurated by Trajan in 113 A.D.) The Roman rule in Dacia lasted for 165 years and brought about the erection of numerous military and civil castra, with monumental buildings, roads, mining exploitations and the politico-administrative organization, based on the Roman system, with municipia, headed by prefects. This historical period is considered as the genesis of the Romanian people, simultaneously meaning by tradition, the beginning of Christianization, through the intermedium of Apostle Andrew.*

The barbarian invasions weakened the Roman Empire, which withdrew its army in 275 A.D. but trade and cultural relations were not interrupted.

Over the 3rd – 6th centuries *this territory had 42 Episcopates, with schools where erudites asserted themselves, who are being acknowledged by world literature to this day. (8- The paten of the Metropolitan of Tomis, 498-512 A.D.; 9-Christian donarium of bronze, 4th c. A.D.)*

Over the 4th – 9th centuries, *the Goths, the Huns, the Avars crossed the territory of Dacia, part of them being assimilated by the local population, some others settled in the Pannonian Plain and south of the Danube.*

Beginning with the 9th century A.D. *the chronicles mentioned the army leaders Gelu, Glad and Menumorut in Transylvania and the Banat and subsequently voivode Litovoi in the Hațeg Country, all of them putting up resistance to the conquering attempts made by the Hungarian kingdom. At the end of the 12th century came into being the principality of Transylvania, which was to preserve a well-marked autonomy within Hungary.*

In the 14th century, *Basarab I succeeded in uniting the Romanian statal formations, from the area between the Carpathians and the Danube, under the name of Wallachia. In Moldavia, another Romanian state, under the rule of Bogdan was set up. The foundation of the Metropolitanates of Wallachia (1359) and of Moldavia (1382) consolidated ecumenical Orthodoxy in front of Catholic onslaught and legitimated religiously the two states.*

The Hungarian reaction in Transylvania, forced in 1366 the Romanian noblemen either to convert to Catholicism or else to give up their nobiliary priviledges. Thus by catholicization the Romanian Iancu of Hunedoara (11) became Reigning Prince of Transylvania (1441 – 1456) while his son Matias Corvin, even king of Hungary.

Beginning with the 14th century, *the Ottoman Empire came to assert increasingly its authority in the area, for several centuries. Wallachia and Moldavia were to preserve their politico-administrative and religious entity. Transylvania was to be autonomous under the protection of the Porte, while the neighbouring countries - Serbia, Bulgaria, Hungary - were to become Turkish pashalics.*

In the 15-16th century, *the ruling princes Mircea the Old (10), Vlad the Impaler*

Staunen versetzt. Sie weisen einen 99,98-prozentigen Reinheitsgrad an Eisen auf und sind mit drei molekularen Farbschichten bedeckt.

Nach den Kriegen von 101 – 102 und 105 – 106 n. Chr., die von Kaiser Trajan gegen König Decebalus geführt wurden, haben die Römer Dazien besetzt, einschliesslich die Hauptstadt. Die Römer hoben aus den Gewässern der Sargetia den riesigen Dakerschatz. (7-Daker-Skulpturen auf der Siegessäule des Trajan, 113 n. Chr.) Die römische Herrschaft in Dazien dauerte 165 Jahre und bedeutete die Errichtung vieler militärischer und ziviler Castren, mit Monumentalbauten, Strassen, Bergwerken und die politisch-verwaltungsmässige Organisation nach römischem Muster, mit von Präfekten geleiteten Munizipien. Diese historische Zeitspanne wird als die Genesis des rumänischen Volkes betrachtet, laut Tradition auch den Beginn der Christianisierung, durch Apostel Andreas. Der Ansturm der Barbaren schwächte das Römische Reich, das 265 n. Chr. sein Heer aus Dazien abzog.

Zwischen dem III. – VI. Jh. sind auf diesem Territorium 42 Bistümer bekannt, mit Schulen, aus denen Gelehrte hervorgegangen sind, die heute der Weltliteratur angehören. (8-Die Patene des Metropoliten von Tomis, 498-512 n. Chr.; 9 - Christliches Donarium aus Bronze, IV. Jh. n. Chr.)

Im IV. – IX. Jh. sind die Goten, Hunnen, Slawen, Awaren über das Gebiet Daziens gezogen, ein Teil von ihnen wurde durch die örtliche Bevölkerung assimiliert, andere siedelten in der Pannonischen Ebene und südlich der Donau.

Beginnend mit dem IX. Jh. n. Chr. führen die Chroniken die Heerführer Gelu, Glad und Menumorut in Transsilvanien und im Banat an, und später, 1230, den Woiwoden Litovoi im Hatzeger Land, alle haben den Eroberungsversuchen des ungarischen Königreichs Widerstand geleistet. Ende des **XII. Jh.** wird das Woiwodat Transsilvaniens gebildet, das sich innerhalb Ungarns eine betonte Autonomie bewahrte.

Im XIV. Jh. gelang Basarab I. die Vereinigung der rumänischen staatlichen Formationen zwischen Karpaten und Donau, unter der Bezeichnung Walachei. In der Moldau wurde ein anderer rumänischer Staat unter der Führung von Bogdan gebildet. Die Gründung der Metropolien der Walachei (**1359**) und der Moldau (**1382**) festigte die ökumenische Orthodoxie gegenüber der katholischen Offensive und legitimierte die beiden Staaten vom religiösen Standpunkt aus. Das diesbezügliche ungarische Reagieren in Transsilvanien verpflichtet **1399** jedoch die rumänischen Adligen zum Katholizismus überzutreten oder auf ihre Adelsprivilegien zu verzichten. Demnach wurde der Rumäne Iancu de Hunedoara (11) Fürst Transsilvaniens (**1441-1456**) und sein Sohn Mattias Corvinus selbst König von Ungarn.

Beginnend mit dem XIV. Jh. sollte das Osmanische Reich für ein paar Jahrhunderte seine Autorität in der Zone behaupten, die Walachei und die Moldau bewahrten ihre politisch-administrative und religiöse Identität. Transsilvanien ist unter dem Schutz der Pforte selbständig verblieben, während die Länder ringsherum - Jugoslawien, Bulgarien, Ungarn - zu türkischen Paschalyks wurden.

Im XV-XVI Jh. haben Herrscher wie Mircea cel Bătrân (10), Vlad Ţepeş (12)

couverts par trois couches moléculaires de teinture, de sorte que la rouille ne les abima point depuis plus de 2000 ans.

Après les guerres de 101 - 102 et 105 - 106 apr. J. Ch. *menées par l'empereur Trajan contre le roi dace Decebal, les Romains occupèrent le Sud de la Dacie, la capitale y compris. Du lit de la rivière Sargetzia (Le Someş), les Romains emportèrent l'immense trésor dace..(7- Des Daces sculptés sur la Colonne de la victoire inaugurée par Trajan en 113 ap. J.Ch)*

La domination romaine en Dacie dura 165 ans et y laissa plusieurs castres militaires et civils, des constructions monumentales, des chemins, des exploitations minières, une organisation politico-administrative avec des municipes coordonnés par des préfets. Cette période historique est considéré la genèse du peuple roumain, ce qui correspond au début de la christianisme dû à l'Apôtre André qui prêcha sur les territoires du Sud-Est du pays.

Les invasions barbares affaiblirent l'Empire Romain qui retira son armée de Dacie en 275 apr. J. Ch..

Entre le III-e et le VI-e s. *sur ce territoire existèrent 42 Evêchés, avec des écoles qui donnèrent des érudits reconnus aujourd'hui dans la littérature universelle. (8- La patène du métropolit de Tomis, 498 - 512 ap. J. Ch.; 9- Donarium chrétien en bronze, IV-e s. ap. J.Ch).* ***En IV-e – IX s.****, le territoire de la Dacie fut envahi par les Goths, les Huns, les Slaves, les Avares, assimilés en partie par la population autochtone, l'autre partie s'établissant dans la Plaine Panonique au sud du Danube.*

A partir du IX-e s. J.Ch. *les chroniques mentionnent les voïvodes Gelu, Glad et Menumorut en Transylvanie et Banat; plus tard, en 1230, le voïvode Litovoï du pays de Hatzeg, qui s'opposèrent tous aux tendences de conquête du royaume hongrois.*

*Vers la fin du **XII-e s.** fut fondé le voïvodat de Transylvanie qui gardera, dans le cadre de la Hongrie, un vif caractère d'autonomie.*

Au XIV-e s. *Bessarabe Premier réussit l'unification des formations des Etats roumains sur le territoire entre les Carpates et le Danube, sur le nom de Valachie. Dans la Moldavie apparait un autre Etat roumain sous Bogdan voïvode. La fondation des palais métropolitains de Valachie (1359) et de Moldavie (1382) enracinent l'ortodoxie ecuménique face à l'offensive catholique et légitimisent religieusement les deux Etats. La réaction hongroise de Transylvanie oblige en 1366 les nobles roumains de passer au catholicisme ou de renoncer aux privilèges nobiliaires. C'est le cas du Roumain Iancu de Hunedoara (11) qui, catholicisé, allait devenir prince de Transylvanie (1441 - 1456), son fils Mathieu Corvin - roi de l'Hongrie.*

A partir du XIV-e s. *l'Empire Ottoman y commença à affirmer son autorité durant quelques siècles. La Valachie et la Moldavie allaient garder leur entité politico-administrative et religieuse. Sous la protection de la Porte la Transylvanie restera autonome, tandis que les pays voisins - la Yougoslavie, la Bulgarie, la Hongrie - deviendront des pachaliks turcs.*

Au XV-XVI e s. *des princes tels Mircea-Le-Vieux (10), Vlad Tzepesh (12) et*

Neagoe Basarab (14) în Ţara Românească, Alexandru cel Bun şi Ştefan cel Mare (13) în Moldova au dus bătălii glorioase cu mari sultani şi generali turci, apărând graniţele ţării şi, în acelaşi timp, ale întregii creştinătăţi. Ei au fost diplomaţi, ctitori de cetăţi, biserici şi mănăstiri, au dispus scrierea de cronici care au rămas cărţi de căpătâi în literatura română.

În anul 1600 voievodul Mihai Viteazu (15) reuşeşte prima unire a provinciilor româneşti: Transilvania, Ţara Românească şi Moldova. În anul **1601** Mihai este trădat şi ucis dar el va rămâne în istoria ţării un simbol al unităţii şi neatârnării.

(12) and Neagoe Basarab (14) in Wallachia, Stephen the Great (13) in Moldavia, waged glorious battles with great Turkish generals, defending the frontiers of the country and simultaneously of Christendom. They were diplomats, founders of cities and monasteries, they disposed the writing of chronicles, which became fundamental books in Romanian literature.

In 1600, ruling-prince Michael the Brave (15) achieved the first union of the Romanian provinces: Transylvania, Wallachia and Moldavia.
In 1601 Michael was betrayed and murdered. He will stay on in the country's history as a symbol of unity and independence.

8

9

10   11   12

În sec.XVII, domnitorii Matei Basarab, Şerban Cantacuzino şi Constantin Brâncoveanu (16) în Ţara Românească şi Vasile Lupu (17) în Moldova, înfiinţează primele tipografii şi şcoli în limba romană, pe lângă mănăstiri. Se defineşte un stil propriu românesc în arhitectură, sinteză între renaştere şi baroc, cu influenţe orientale.

Sec. XVIII a fost secolul domniilor fanariote, dispuse de Poarta Otomană. Totuşi, unii dintre domnitorii greci au instituţionalizat reforme în toate sectoarele vieţii sociale, inclusiv în cultură.

Sec XIX. Revoluţia din **1821** condusă de Tudor Vladimirescu (18) readuce domniile pământene. Se revigorează un puternic suflu naţional în contextul slăbirii puterii otomane. În **1829**, prin Pacea de la Adrianopol, cele două ţări romane trec sub ocupaţie rusă, cu pierderea Basarabiei. *Regulamentul Organic*, redactat de o comisie de români sub supravegherea autorităţilor ruseşti, are unele prevederi democratice, ceea ce conduce la intensificarea relaţiilor cu Occidentul. Anul **1848** declanşează mişcări în toate principatele române (20), aproape simultan cu marile revoluţii europene, având în program revendicări naţionale (19-Avram Iancu).

Actul de mare abilitate politică din **1859** (21-Mihail Kogălniceanu) al Principatelor Romane: Ţara Românească şi Moldova, de a-şi alege acelaşi domnitor, Alexandru Ioan Cuza (22), a făcut ca marile puteri să admită unirea lor administrativă. Au urmat reforme îndrăzneţe în foarte scurt timp.

În anul 1866 a fost adus la domnie Carol de Hohenzollern-Sigmaringen pentru a obţine sprijinul Ocidentului şi a curma unele lupte interne.

In the 17th century, Matei Basarab, Şerban Cantacuzino and Constantin Brâncoveanu (16) in Wallachia and Vasile Lupu (17) in Moldavia, set up the first printing presses and schools in Romanian, within the monasteries. A specific Romanian style in architecture emerged, a synthesis of the Renaissance and the Baroque, with eastern influences.

The 18th century was the century of the Phanariot rules imposed by the Ottoman Porte. Nevertheless, a number of Greek princes institutionalized reforms in all the fields of social life, culture included.

The 19th century. The revolution of 1821, led by Tudor Vladimirescu (18), restored the reign of local ruling-princes. In 1829, through the Peace of Adrianople, the two Romanian countries were subjected to Russian occupation, with the loss of Bessarabia. The Organic Regulations, drawn up by a commission of Romanians under the superintendence of Russian authorities, included certain democratic provisions, which led to the intensification of relations with the West. The year 1848 set off movements in all the Romanian principalites (20), almost simultaneously with the great European revolutions, including national claims in their programme (19-Avram Iancu).

The act of a great political ability, from 1859 (21-Mihail Kogălniceanu), of the Romanian Principalities, Wallachia and Moldavia, to elect one and the same ruling-prince, Alexandru Ioan Cuza (22), determined the great powers to consent to their administrative union. Daring reforms followed without delay.

In 1866 Carol of Hohenzollern-Sigmaringen was brought to the throne, so as to obtain the support of the West and to put an end to some domestic strifes.

und Neagoe Basarab (14) in der Walachei und Ştefan cel Mare (13) in der Moldau ruhmreiche Schlachten gegen grosse türkische Generäle geschlagen, sie verteidigten die Grenzen des Landes und gleichzeitig die der Christenheit. Sie waren Diplomaten, Stifter von Burgen und Klöstern, sie veranlassten das Abfassen von Chroniken, die in die rumänische Literatur eingegangen sind.

Im Jahr 1600 gelang dem Woiwoden Mihai Viteazul (15) die erste Vereinigung der rumänischen Provinzen: Transsilvanien, Walachei und Moldau. Im Jahr 1601 wurde Mihai verraten und getötet, er ist in die Geschichte des Landes jedoch als ein Symbol der Einheit und Unabhängigkeit eingegangen.

Neagoe Basarab (14) en Valachie et Etienne-Le-Grand (13) en Moldavie menèrent de glorieuses batailles contre de grands sultans et généraux turcs pour défendre les frontières du pays et, en même temps, la chrétienneté. Ils étaient diplomates, fondateurs de cités et monastères, ils firent écrire des chroniques - vrais livres de chevet de la littérature roumaine.

En 1600 le Voïvode Michel-Le-Brave (15) réussit la première union des provinces roumaines - la Transylvanie, la Valachie et la Moldavie. Trahi et assassiné en 1601, Michel-Le-Brave restera dans l'histoire du pays le symbole de l'union et de l'indépendance.

13 14 15 16 17

Im XVII. Jh. begründen Matei Basarab und Constantin Brâncoveanu (16) in der Walachei und Vasile Lupu (17) in der Moldau die ersten Druckereien und Schulen in rumänischer Sprache, und zwar bei den Klöstern. Es bildet sich ein eigener rumänischer Stil in der Baukunst heraus, eine Synthese zwischen Renaissance und Barock, mit orientalischen Einflüssen.

Das XVIII. Jh. war das Jahrhundert der Fanarioten-Herrschaften, die von der Osmanischen Pforte eingesetzt wurden. Einige jedoch haben in sämtlichen Bereichen des sozialen Lebens Reformen durchgeführt.

Das XIX. Jh. Die Revolution von **1821**, die von Tudor Vladimirescu (18) geführt wurde, brachte wieder einheimische Herrscher. **1829** kamen durch den Frieden von Adrianopolis die beiden rumänischen Länder unter russische Besatzung, wobei man Bessarabien verlor. Das Organische Reglement weist einige demokratische Bestimmungen auf, das hat zur Verstärkung der Beziehungen mit dem Westen geführt. Das Jahr **1848** (20) löst Bewegungen in allen rumänischen Fürstentümern aus, im Programm standen nationale Forderungen (19-Avram Iancu).

Der Akt grosser politischer Geschicklichkeit der Rumänischen Fürstentümer - Walachei und Moldau - **1859** (21-Mihail Kogălniceanu) denselben Herrscher, Alexandru Ioan Cuza (22), zu wählen, hat dazu geführt, dass die Grossmächte ihre verwaltungsmässige Vereinigung anerkannten. Es folgten in sehr kurzer Frist mutige Reformen.

1866 wurde Carol von Hohenzollern-Sigmaringen auf den Thron geholt, um die Unterstützung des Westens zu erzielen.

En XVII-e s. apparurent les premières typographies et écoles en roumain, autour des monastères, fondées par Mathieu Bessarabe, Scherban Cantacuzène, Constantin Brancovan (16) - en Valachie et Vasile Lupu (17) - en Moldavie. Un style architectural roumain s'impose - synthèse entre baroque et renaissance aux influences orientales.

Le XVIII-e s. est connu comme le siècle des règnes phanariotes, imposés par la Porte Ottomane. Pourtant, certains princes grecs institutionnalisèrent des réformes dans tous les secteurs de la vie sociale, la culture y compris.

Le XIX-e s. La Révolution de Tudor Vladimirescu (18) en 1821 rééablit les règnes du pays. En 1829, suite à la paix d'Adrianopol, les deux pays roumains passent sous l'occupation russe et la Bessarabie fut perdue. Le Règlement Organique contient aussi des prévoyances démocratiques, ce qui conduit à l'intensification des rapports avec l'Occident. L'année 1848 (20) est marquée par des movements révolutionnaires dans tous les pays roumains simultanément avec les grandes révolutions européennes dont le programme visait des revendications nationales. (19-Avram Iancu)

L'acte de grande abilité politique de 1859 (21-Mihail Kogălniceanu) des Principautés Roumaines - la Valachie et la Moldavie - de choisir le même prince - Alexandre Ioan Cuza (22) - imposa aux grands pouvoirs de reconnaître leur union administrative. Des réformes audacieuses furent faites en peu de temps.

En 1866 Carol de Hohenzollern-Sigmaringen fut installé en prince régnant afin d'obtenir l'appui de l'Occident et de faire cesser les luttes internes.

La **9 mai 1877, România** îşi declară independenţa, armata română condusă pe front de Carol participând la războiul ruso-turc din **1877-78**.

În anul 1881 România devine regat şi Carol I primul său rege. (23)

Sfârşitul sec.XIX - începutul sec.XX a însemnat o perioadă istorică efervescentă. Se deschid primele instituţii de învăţământ superior şi Academia Română, se construieşte Ateneul Român cu săli de concerte şi de conferinţe. Se înscriu în istoria culturii numele unor mari creatori precum poetul-filozof Mihai Eminescu şi savantul Bogdan Petriceicu Haşdeu.

În anul 1906 s-a ridicat în zbor, primul în lume, pe un avion construit de el

On May 9th, 1877, Romania declared her independence, her army headed on the front by Carol, participating in the Russo-Turkish war of 1877 – 1878. In 1881 Romania became a kingdom and Carol I her first king (23).

The end of the 19th century – the beginning of the 20th century meant an effervescent historical period. The first higher education establishments and the Romanian Academy were opened. The names of some great creators, as the poet-philosopher Mihai Eminescu and the scholar Bogdan Petriceicu Haşdeu were set down in the history of culture.

In 1906 Traian Vuia was the first man ever in the world to take off, in an airplane

însuşi, Traian Vuia, apoi Aurel Vlaicu. Mai târziu, Henry Coandă şi Elie Carafoli vor contribui şi ei la dezvoltarea aviaţiei mondiale.

După decesul regelui Carol I, la **28 septembrie 1914**, nepotul său principele Ferdinand, depune jurământul ca rege al României.

În anul 1916, România intră în primul război mondial, de partea Antantei sperând obţinerea Transilvaniei. Destrămarea imperiului Austro-Ungar şi izbucnirea revoluţiei ruse fac posibilă implinirea visului său de aur, unirea. Basarabia cere în **martie 1918** revenirea la ţara mamă, apoi Bucovina.

La 1 decembrie 1918 prin Declaraţia de Unire a Transilvaniei, de la Alba Iulia, se realizează alipirea tuturor provinciilor româneşti.

La 15 octombrie 1922, regele Ferdinand şi regina Maria sunt încoronaţi la Alba Iulia, ca rege şi regină ai tuturor românilor (24).

După moartea regelui Ferdinand în **1927** şi o scurtă regenţă a nepotului său minor Mihai, în anul **1930** vine la tronul ţării Carol al II-lea (25), fiul lui Ferdinand.

Între anii 1919-1939, cu toată criza economică mondială, industria şi cultura ţării s-au dezvoltat. S-au construit căi ferate, uzine electrice, metalurgice şi mecanice, sonde, fabrici de zahăr şi ţesături. Au fost ani benefici şi pentru cultură. S-au ridicat multe clădiri care au modernizat capitala.

În iunie 1940, Pactul germano-rus Ribbentrop-Molotov cade la Bucureşti ca un trăznet. Stalin alipeşte la URSS, Basarabia, Bucovina şi nordul ţinutului Herţa, Bulgaria ia Cadrilaterul şi sudul Dobrogei, Ungaria cere

built by himself, followed by Aurel Vlaicu. Henry Coandă and Elie Carafoli made a major contribution to the development of world aviation.

*After the death of king Carol I, on **September 28th, 1914**, his nephew, Ferdinand, was sworn in, as king of Romania. **In 1916**, Romania entered WW1, on the side of the Entente, hoping to obtain Transylvania. The disintegration of the Austro-Hungarian Empire and the outbreak of the Russian revolution enabled her golden dream to come true. In **March 1918** Bassarabia demanded to return to the mother country. She was follwed by the Bukovina. On **December 1st, 1918**, through the Declaration of Union of Transylvania from Alba Iulia, the unification of all the Romanian provinces was achieved.*

*On **October 15th, 1922**, king Ferdinand and queen Maria were crowned as king and queen of all Romanians in Alba Iulia.*

*After king Ferdinand's death in **1927** and a brief regency, his grandson Mihai being still under age, in **1930** Carol II, son of Ferdinand, ascended the throne of Romania.*

*Over **1919 – 1939**, in spite of the world economic crisis, the country's industry and culture developed. Railways, power stations, ironworks, mechanical plants, oil derricks, sugar factories and weaving mills were erected. These were benefic years to culture too.*

*In **June 1940**, the Ribbentrop-Molotov German-Russian Pact struck in like lightning, in Bucharest Stalin annexed to the USSR, Bessarabia, the Bukovina and the northern part of the Herţa area. Bulgaria took the Quadrilateral and the south of the Dobrudja, Hungary claimed Transylvania. Because of the disinte-*

Am 9. Mai 1877 erklärt Rumänien seine Unabhängigkeit, die Armee, die an der Front von Carol geführt wurde, beteiligte sich am russisch-türkischen Krieg von 1877-1878. Im Jahre 1881 wird Rumänien Königreich und Carol I. sein erster König (23). **Das Ende des XIX. Jh. und der Beginn des XX. Jh.** bedeuteten eine historisch rege Periode. Eingerichtet werden die ersten Hochschul-institutionen und die Rumänische Akademie. Die Kulturgeschichte prägen grosse Schöpfer wie der Dichter-Philosoph Mihai Eminescu und der Gelehrte Bogdan Petriceicu-Haşdeu.

Im Jahr 1906 ist als Erster in der Welt Traian Vuia mit einem von ihm

Le 9 Mai 1877 la Roumanie fait sa déclaration d'indépendence, l'armée sous le commendement de Carol participa à la guerre russo-turque de 1877 - 1878.
En 1881 la Roumanie devient royaume et Carol I-er, son premier roi (23).
Fin du XIX-e s. - début du XX-e s. - période historique éfervescente. Apparaissent les premières institutions de l'enseignement supérieur et l'Académie Roumaine. L'histoire de la culture inscrit les noms de grands créateurs comme le poète-philosophe Mihai Eminescu et le savant Bogdan Petriceicu Haşdeu.

En 1906, Traian Vuia construit et pilota lui-même le premier avion du monde,

selbst gebauten Flugzeug in die Lüfte aufgestiegen, sodann Aurel Vlaicu. Später sollten Henry Coandă und Elie Carafoli ihren Beitrag zur Entwicklung des Flugwesens in der Welt erbringen.

Nach dem Tod von König Carol I., am **28. September 1914**, legt sein Neffe, Fürst Ferdinand, den Eid als König von Rumänien ab. **Im Jahr 1916** tritt Rumänien in den Ersten Weltkrieg ein, es hofft an der Seite der Entente Tanssilvanien zu erlangen, Bessarabien fordert im **März 1918** die Rückkehr zum Mutterland, sodann die Bukowina. **Am 1. Dezember 1918** wird in Alba Iulia durch die Vereinigungs-Erklärung Transsilvaniens der Zusammenschluss aller rumänischen Provinzen vollzogen.

Am 15. Oktober 1922 werden König Ferdinand und Königin Maria in Alba Iulia als König und Königin aller Rumänen gekrönt (24).

Nach dem Tod des Königs Ferdinand 1927 und einer kurzen Regentschaft seines minderjährigen Neffen Mihai, besteigt **1930** Carol II (25), der Sohn des Ferdinand, den Thron des Landes. **Zwischen den Jahren 1919 – 1939** haben sich - trotz der Weltwirtschaftskrise - die Industrie und Kultur des Landes entwickelt. Man baute Eisenbahnen, Elektrizitätswerke, metallurgische und mechanische Betriebe, Erdölsonden, Zuckerfabriken und Webereien.

Im Juni 1940 schlägt der Deutsch-russische Ribbentrop-Molotow-Pakt in Bukarest wie ein Blitz ein. Stalin schliesst der UdSSR Bessarabien, die Bukowina und den Norden des Hertza-Gebiets an. Bulgarien holt sich das Quadrilater und die Süddobrudscha, Ungarn fordert Transsilvanien. Durch den Zerfall von Gross-Rumänien ist Carol II. zur Abdankung gezwungen, er

suivi par Aurel Vlaicu. Plus tard, Henry Coanda et Elie Carafoli contribueront eux aussi au développement de l'aviation mondiale.
*Après la mort du roi Carol I-er, **le 28 septembre 1914**, son neveu, le prince Ferdinand, prête serment comme roi de Roumanie.*
En 1916 la Roumanie entre dans la Première Guerre mondiale du côte de l'Antante en espérant d'obtenir la Transylvanie. La dissolution de l'empire Austro-Hongrois et l'éclatement de la révolution russe rendent possible la réalisation de ce rêve d'or. En mars 1818, la Bessarabie réclame le retour au pays maternel, la Bucovine ensuite.
Le 1-er Décembre 1918, par la Déclaration d'Union d'Alba Iulia de la Transylvanie, on réalise l'Union de toutes les provinces roumaines.
Le 15 Octobre 1922 à Alba Iulia furent couronnés le prince Ferdinand et la princesse Marie - roi et reine de tous les Roumains (24). Après la mort du roi Ferdinand, en 1927, et une courte régence de son petit fils mineur Michel, en 1930, c'est Carol II (25), fils de Ferdinand qui advient au trône du pays.
Dans les années 1919 – 1939, malgré la crise économique mondiale, l'industrie et la culture du pays connurent un grand essor. On a construit des chemins de fer, des usines électriques, métalurgiques et mécaniques, des fabriques de sucre et de tissus, des sondes. La culture se développa aussi. On a construit beaucoup d'immeubles qui ont modernisé la capitale.
En juin 1940, le Pacte russo-allemand Ribbentrop-Molotov tombe en vrai tonnerre sur Bucarest. Stalin s'empare de la Bessarabie, la Bucovine et le Nord du pays de Hertza, la Bulgarie s'empare du Quadrilatère et du Sud de

Ardealul. Prin destrămarea României Mari, Carol e nevoit să abdice, trecând monarhia pe umerii fiului său încă minor, Mihai (26). Conducerea statului e preluată de generalul Ion Antonescu. Acesta semnează intrarea în război a României de partea Germaniei şi ordonă armatei trecerea Prutului, pentru eliberarea Basarabiei şi Bucovinei.

Iminenta pierdere a războiului de către Germania îi determină pe oamenii politici din opoziţie să înceapă demersurile cu puterile aliate. România declară armistiţiu la **23 august 1944**. Deşi s-a apreciat că acest act a permis scurtarea războiului cu şase luni, deşi România a continuat să lupte pe frontul de vest cu grele pierderi de sânge, participând la eliberarea Transilvaniei, Ungariei şi Cehoslovaciei, ea nu a fost invitată la masa tratativelor. A trebuit să plătească daune de război şi nu i s-au înapoiat nici până astăzi teritoriile alipite la URSS şi tezaurul depus spre păstrare guvernului rus, în timpul primului război mondial.

În anul 1947, după instaurarea unei dictaturi comuniste, care a trucat alegerile, a fost abolită monarhia şi a fost proclamată republica populară. Floarea intelectualităţii a fost aruncată în închisori. În anul **1967** vine la conducerea Consiliului de Stat, Nicolae Ceauşescu, care se declară Preşedinte al Republicii Socialiste România. La început el este perceput pozitiv, în ţară şi în străinătate, pentru politica sa de depărtare faţă de URSS. Curând el devine cel mai dur dictator din ţările comuniste.

Ziua de 22 decembrie 1989 aduce în stradă populaţia ţării, într-o mişcare declarat anticomunistă. Se reinstalează un sistem politic democratic. Alegerile decurg corect însă reforma demarează greu. Educaţia a cincizeci de ani de comunism îşi spune cuvântul, în primul rând în ceea ce priveşte birocraţia şi corupţia. Cu specialişti apreciaţi pe toate meridianele lumii, în toate domeniile, inclusiv în aviaţie şi în cercetarea nucleară, declinul economic datorat folosirii unor tehologii învechite şi pierderii unor pieţe de desfacere, este greu de oprit. Dar românii învaţă repede ceea ce le-a fost interzis: să-şi deschidă firme, să călătorească peste hotare, să-şi programeze computerele, să se organizeze fără planificarea centralizată. Integrarea în structurile Uniunii Europene şi NATO va fi garantul dezvoltării ţării, a industriei şi agriculturii sale şi în acelaşi timp, al asigurării stabilităţii în zonă.

Turismul va reînflori pentru că ţara este plină de comori de frumuseţe. Pot fi vizitate staţiuni balneoclimaterice şi de odihnă marine şi montane dar şi muzee, teatre, palate şi mănăstiri dintre care unele sunt declarate monumente UNESCO. Este o pace, o spiritualitate păstrată de milenii în satele româneşti. Costumele populare, tradiţiile, veselia, bunătatea, vin de demult şi vor fi veşnice aici. Românii sunt primitori de oaspeţi şi acest sentiment este resimţit de toţi străinii care intră în ţară şi care sunt întâmpinaţi cu un sincer: **"Bun venit!"**

gration of Great Romania, Carol was forced to abdicate in favour of his son Mihai (26). State leadership was taken over by general Ion Antonescu. The latter joined the war, on Germany's side, ordering the army to cross the Prut river, in order to set free Bessarabia and the Bukovina.

The imminent loss of the war by Germany, determined the politicians from the Opposition to start negotiations with the allied powers. Romania declared armistice on **August 23rd 1944**. Though it was estimated that this act brought about a shortening of the war by six months, though Romania continued to fight on the western front, with heavy human losses, participating in the liberation of Transylvania, Hungary and Czechoslovakia, she was not invited to the negotiations table. She was forced to pay war damages. Neither was she returned her territories, annexed by the USSR nor the treasure entrusted to the Russian government during WW1.

In 1947, after the entrenchment of a communist dictatorship, which forged the elections, monarchy was abolished and the people's republic was proclaimed. The elite of the intelligentia were thrown into prisons. In **1967** Nicolae Ceauşescu came to the leadership of the Council of State, then declared himself President of the Socialist Republic of Romania. First he was viewed positively, both in this country and abroad, for his policy of estrangement from the USSR. He was soon to become one of the most ruthless dictators from the communist countries.

The day of December 22nd 1989 brought the country's population out in the streets, in an open anti-communist movement. A democratic political system was reinstated. The elections took place correctly, however the reform began with difficulty. An experience of fifty years of communism had its burdening say, especially in terms of red tape and corruption.

With experts, highly valued throughout the world, in all the fields, including aviation and nuclear research, the economic decline, due to the use of some superannuated technologies and the loss of markets, is however hard to be put an end to. But the Romanians learn fast the things which they had been forbidden: to open companies of their own, to travel abroad, to programme their computers, to organize themselves without a centralized planning. Integration into the European Union and NATO will constitute the guarantor of the country's development and simultaneously of securing stability in the area.

Tourism will flourish again, because this country is resplendent with treasures of beauty. Spas, mountain and sea resorts as well as museums, palaces and monasteries, some of which are declared UNESCO monuments, can be visited.

There exists a peace, a spirituality which has been treasured in Romanian villages. Folk costumes, traditions, cheerfulness, kindness have been handed down from times immemorial and shall last for ever here. The Romanians are hospitable and this feeling is experienced by all foreigners visiting this country, who are received with a hearty: **"Welcome!"**

überträgt die Monarchie seinem Sohn, Mihai (26). Die Führung des Staates wird von General Ion Antonescu übernommen. Dieser tritt an der Seite Deutschlands in den Krieg ein und befiehlt der Armee die Überschreitung des Prut, zur Befreiung Bessarabiens und der Bukowina.

Das offensichtliche Verlieren des Kriegs durch Deutschland veranlasst die Oppositionspolitiker, Verhandlungen mit den Alliierten zu beginnen. Rumänien erklärt am **23. August 1944** den Waffenstillstand. Obwohl eingeschätzt wurde, dass dieser Akt die Verkürzung des Kriegs um sechs Monate ermöglicht hat, obwohl Rumänien mit schweren Blutopfern weiterhin an der Westfront kämpfte, sich an der Befreiung Transsilvaniens, Ungarns und der Tschechoslowakei beteiligte, wurde es nicht an den Verhandlungstisch eingeladen. Es musste Kriegsentschädigung zahlen und es hat die von der UdSSR vereinnahmten Territorien bis heute nicht zurück-erhalten, auch den Staatschatz nicht, der während des Ersten Weltkriegs der russischen Regierung zur Aufbewahrung übergeben worden war.

Im Jahr 1947, nach der Einführung einer kommunistischen Diktatur, die die Wahlen gefälscht hatte, wurde die Monarchie abgeschafft und die Volksrepublik ausgerufen. Die Blüte der Intelligenz wurde in Gefängnisse geworfen. Im Jahr **1967** gelangte Nicolae Ceaușescu an die Führung des Staatsrats. Zu Beginn wird er sowohl im Land als auch in Ausland als positiv empfunden, wegen seiner Politik der Distanz gegenüber der UdSSR. Bald sollte er zum härtesten Diktator in den kommunistischen Ländern werden.

Der 22. Dezember 1989 holt die Bevölkerung des Landes auf die Strasse, in einer sichtlich antikommunistischen Bewegung. Ein demokratisches politisches System wird wieder eingeführt. Die politischen Führungen von **1992** und **1996** erklären ihre guten Absichten, fünfzig Jahre kommunistischer Erziehung sprechen jedoch ihr Wort, insbesondere was die Bürokratie und Korruption betrifft. Trotz Fachleuten in allen Bereichen, einschliesslich im Flugwesen und der Kernforschung, die in der ganzen Welt geschätzt werden, ist der Niedergang der Wirtschaft dennoch schwer aufzuhalten, er geht auf veraltete Technologien und den Verlust einiger Absatzmärkte zurück. Die Rumänen lernen jedoch rasch, das was ihnen verboten war: eigene Firmen zu eröffnen, ins Ausland zu reisen, ihre Computer zu programmieren, sich ohne zentralisierte Planung zu organisieren. Die Integration in die Strukturen der Europäischen Union und der Nato wird die Garantie der Entwicklung des Landes bilden, gleichzeitig der Sicherung der Stabilität in der Zone. Der Tourismus wird hier erneut aufblühen, denn das Land ist reich an Schätzen der Schönheit. Man kann sich in Kurorten am Meer und im Gebirge aufhalten, aber auch Museen, Paläste und Klöster besuchen, von denen einige zu UNESCO-Denkmälern erklärt wurden.

Die Volkstrachten, das Brauchtum, die Heiterkeit und Güte kommen aus alten Zeiten und werden für immer hier sein. Die Rumänen sind gastfreundlich und dieses Gefühl verspüren alle Gäste, die ins Land eintreten und die mit einem aufrichtigen **"Willkommen"** empfangen werden.

Dobrodja, la Hongrie exige la Transylvanie. La dissolution de la Grande Roumanie oblige Carol à abdiquer, la monarchie reposant sur les épaules de son fils mineur, Michel (26). Les freins de l'Etat passent dans les mains du général Ion Antonescu. Celui-ci ordonne à l'armée de passer le Prut pour libérer la Bessarabie et la Bucovine, du côte de l'Allemagne.

L'imminante défaite de l'Allemagne détermine les politiciens de l'opposition de chez nous de commencer les pourparlers avec les Alliés. La Roumanie déclare l'armistice le 23 Août 1944. Quoique cet acte eut permis l'abrègement de six mois de la guerre, comme l'on a admis, quoique notre armée continuât à lutter sur le front de l'Ouest avec de grands sacrifices, participant à la libération de la Transylvanie, de la Hongrie et de la Tchécoslovaquie, elle ne fut pas invitée à la table des négociations. Elle a dû payer des dommages de guerre et, les territoires annexés à URSS, ainsi que le trésor du pays déposé en lieu sûr chez les Russes pendant la Première Guerre Mondiale attendent encore leur retour au pays.

En 1947 la monarchie fut abolie par la dictature communiste instaurée par des élections truquées et la république fut proclamée. La fine fleur de l'intellectualité fut jetée dans les prisons. En 1967, Nicolae Ceaușescu devient Président du Conseil d'Etat, puis de la République Socialiste de Roumanie. Au commencement it fut bien apprécié dans le pays et à l'étranger pour sa politique audacieuse envers l'URSS. Peu à peu il devient le plus dur dictateur des pays communistes.

Le 22 Décembre 1989 la population du pays envahit les rues dans un mouvement anticommuniste déclaré. Un système politique démocratique fut instauré. Les élections furent correctes mais la réforme démara difficilement. Les gouvernements politiques de 1992 et 1996 déclarent leurs bonnes intentions, mais les 50 ans de communisme en disent long sur la bureaucratie et la corruption. En dépit des spécialistes appréciés dans tout le monde, dans tous les domaines, y compris en aviation et en recherche nucléaires, le declin économique dû à des téchnologies périmées et à la perte des marchés de vente s'avère difficile à arrêter. Mais les Roumains apprennent vite tout ce qui leur fut interdit: fonder des firmes, voyager à l'étranger, programmer les ordinateurs, s'organiser sans tenir compte de la planification centralisée. L'intégration dans les structures de l'Union Européenne et de NATO sera la garantie du développement du pays, sans compter en même temps l'assurance de la stabilité dans sa zone.

Le tourisme y fleurira puisque le pays est plein de trésors de beauté. On peut y visiter des stations balnéoclimatiques et de repos marines ou montanes, ainsi que des musées, des palais et des monastères dont certains déclarés monuments UNESCO. Dans les villages roumains c'est la paix et la spiritualité qui y règnent. Les costumes populaires, les traditions, la joie et la bonté nous viennent de loin et y dureront toujours. Les Roumains sont accueillants et ce sentiment est ressenti par tous les visiteurs étrangers qui, entrant dans la pays, sont accueillis par un sincère "Soyez les bienvenus!".

Bucureşti

Cu o populaţie de peste 2,5 milioane, Bucureştiul, capitala României, este cel mai mare oraş al ţării. Este inima naţiunii române, centrul politic, administrativ, economic şi cultural.

Cine vrea să cunoască Bucureştiul, poate să înceapă cu o vizită la Muzeul său de Istorie şi Artă. Aflăm aici că primul document care menţionează Bucureştiul este hrisovul voievodului Mircea cel Bătrân, din anul 1401. Un album din 1881 cu acuarele semnate Perozzi, ne face să simţim tic-tac-ul timpului în marele oraş. In muzeu admirăm costume de regi şi ofiţeri, de regine şi doamne de onoare - parfumul unor timpuri în care Bucureştiul era supranumit "Micul Paris".

With a population of over 2.5 million Romania's capital Bucharest is also the largest city in the country. It is also the heart of the Romanian nation, its political, administrative, economic and cultural centre.

He who wants to know Bucharest, should begin with a visit to its History and Art Museum. There we find out that the first document to mention it is the muniment issued by ruling prince Mircea the Old in 1401. An album, dating back to 1881, with watercolours, signed Perozzi, makes us feel the throbbing life of the city, at the time. In the museum we can admire costumes of kings and officers, of queens and ladies-in-waiting the fragrance of an epoch, when Bucharest was surnamed "the Small Paris".

Mit einer Bevölkerung von über 2,5 Millionen, ist Bukarest, die Hauptstadt Rumäniens, die grösste Stadt des Landes. Es ist das Herz der rumänischen Nation, das politische, administrative, ökonomische und kulturelle Zentrum. Wer Bukarest kennen lernen will, kann mit einem Besuch in seinem Geschichts- und Kunstmuseum beginnen. Die erste Urkunde, die Bukarest erwähnt, ist ein Freibrief des Woiwoden Mircea cel Bătrân, aus dem Jahr 1401. Ein Album aus dem Jahr 1881, mit Aquarellen von Perozzi, führt uns in den Gang der Zeit in der grossen Stadt ein. Im Museum bewundern wir Kostüme von Königen und Offizieren, Königinnen und Hofdamen - das Parfüm von Zeiten, in denen Bukarest auch "Klein Paris" genannt wurde.

Comptant plus de 2.5 millions d'haitants, Bucarest, la capitale de la Roumanie, est la ville la plus grande du pays - le coeur de la nation roumaine, centre politique, administratif, économique et culturel.

Celui qui voulait connaître Bucarest pourrait commencer par une visite de son Musée d'Histoire et d'Art. Le premier document où le nom de la ville est mentionné est le parchemin du voïvode Mircea-le-Vieux, de 1401. Un album d'aquarelles de Perozzi, de 1881, nous fait entendre le tic-tac du temps de cette ville. On peut y admirer également des costumes de rois et officiers, de reines et dames d'honneur - air du temps quand Bucarest fut surnommé "Le Petit Paris".

←Piaţa Unirii - vedere spre Dealul Patriarhiei. ↓Paraclisul Patriarhiei.
→Catedrala Patriarhală în noaptea Invierii, cea mai mare sărbătoare a Ortodoxiei Româneşti.Biserica a fost clădită de domnitorul Constantin Şerban în 1656. Ea a devenit Catedrala Mitropoliei Române în anul 1668 şi a Patriarhiei Române în 1925.

←*Union Square - view to the Hill of the Patriarchate.* ↓*The Chapel of the Patriarchate*
→*The Patriarchal Cathedral in the Night of the Resurrection, the greatest Holiday of Romanian Orthodoxy. The church was built by ruling prince Constantin Şerban in 1656. It became the Cathedral of the Romanian Metropolitanate in the 1668 and then of the Romanian Patriarchate in 1925.*

←"Unirii"-Platz - Blick auf den Patriarchie-Berg. ↓Kapelle der Patriarchie.
→Die Patriarchie-Katedrale in der Auferstehungs-Nacht, das grösste Fest der Rumänischen Orthodoxie. Die Kirche wurde 1656 vom Fürsten Constantin Şerban erbaut. Sie wurde 1668 zur Katedrale der Rumänischen Metropolie und 1925 zur Katedrale der Patriarchie.

←*Place de l'Union, vue sur la Colline de l'Eglise du Patriarcat.* ↓*La Chapelle de l'Eglise du Patriarcat.*
→*La Cathédrale du Patriarcat la nuit des Pâques - la plus importante fête de l'Orthodoxie roumaine. L'église fut bâtie par le prince Constantin Şerban en 1656. En 1668 elle devint Cathédrale Métropolitaine Roumaine et, en 1925, Cathédrale du Patriarcat Roumain.*

Palatul Regal, astăzi Muzeul Național de Artă. Casa logofătului Dinicu Golescu ridicată în 1812 a fost amenajată pentru domnitorul Al.Ioan Cuza, mărită ca palat regal de Carol I în 1882. Carol al II-lea a reconstruit palatul între 1930-1937. După abolirea monarhiei în 1947, aici a fost amenajat Muzeul de Artă cu Galeria Națională și Galeria Universală. Scara "Arabescatto".

The Royal Palace, housing at present the National Art Museum of Romania. The house of Logothete Dinicu Golescu, erected in 1812, was fitted up anew for ruling-prince Al. I. Cuza and subsequently enlarged as a royal palace by Carol I in 1882. Carol II rebuilt the palace over 1930 - 1937. After the abolishment of monarchy in 1947, this is where the Art Museum, with the National Gallery and the Universal Gallery was set up. Arabesque stairway.

Das Königsschloss, heute Nationales Kunstmuseum. Das Haus des Kanzlers Dinicu Golescu, 1812 erbaut, wurde für den Fürsten Al. Ion Cuza eingerichtet, 1882 von Carol I. als Königspalast vergrössert. Carol II. baute das Schloss um zwischen 1930-1937. Nach der Abschaffung der Monarchie 1947 wurde hier das Kunstmuseum eingerichtet, mit der Nationalgalerie und der Universalgalerie. Treppenaufgang mit Arabesken.

Le Palais Royal, aujourd'hui Musée National d'Art. Résidence du grand chancelier Dinicu Golescu, construite en 1812, aménagée plus tard pour le prince Al. Ioan Cuza, agrandie en 1882 et devenue palais royal sous Carol I. Entre 1930 - 1937 Carol II fit reconstruire le palais. Après l'abolition de la monarchie en 1947, y fut aménagé le Musée National d'Art - Galeries Nationale et Universelle. Escalier à l'arabesque.

Palatul Ghica, pe Calea Victoriei. A fost construit 1897 pentru Şerban, fiul domnitorului Grigore Ghica.

The Ghica Palace, on Calea Victoriei. It was built in 1897 for Şerban, son of ruling-prince Grigore Ghica.

Das Ghica-Palais auf der Calea Victoriei. Es wurde in 1897 für Şerban errichtet, den Sohn des Fürst Grigore Ghica.

La Palais Ghica, sur Calea Victoriei, fut construit en 1897, pour Şerban, le fils du prince Grigore Ghica.

Societatea "Ateneul Român", înfiinţată în anul 1865, şi-a ridicat sediul între anii 1886-1888. Sala mare de concerte a fost decorată cu o vastă frescă prezentând aspecte din istoria neamului, pictată de Costin Petrescu între 1933-1937. În prezent aici fiinţează Filarmonica Română "George Enescu".

The "Ateneul Român" Society set up in 1865, erected the building of its seat over 1886 - 1888. The grand concert hall was decorated with a vast fresco, portraying aspects from the history of the nation, painted by Costin Petrescu, over 1933 - 1937. At present it houses the "George Enescu" Romanian Philharmonic.

Die Gesellschaft "Das Rumänische Athenäum", 1865 gegründet, errichtete das Gebäude 1886-1888. Der grosse Konzertsaal wurde mit einem Wandgemälde ausgeschmückt, das Ereignisse aus der Geschichte des Landes veranschaulicht, gemalt von Costin Petrescu zwischen 1933-1937. Gegenwärtig Sitz der Rumänischen Philharmonie "George Enescu".

La Société "L'Athénée Roumain" fondée en 1865 fit construire son siège entre 1886 - 1888. Le peintre Costin Petrescu décora entre 1933 - 1937 la grande salle de concerts par une grande fresque illustrant l'histoire de la nation. Aujourd'hui siège de la Philarmonique Roumaine "Georges Enesco".

Palatul Casei de Economii şi Consemnaţiuni a fost construit între anii 1896-1900, în stil baroc francez. Monument de arhitectură.

The Palace of the Savings Bank (C.E.C) was built in the style of the French baroque, over 1896-1900. Architectural monument.

Der Palast der Spar- und Depositenkasse (CEC) wurde zwischen 1896-1900 im Stil des französischen Barock gebaut. Architektur-Denkmal.

Le Palais de la Caisse d'Epargnes et de Consignations, construit entre 1896 - 1900 en style baroque français. Monument d'architecture.

Palatul Parlamentului. Construit între anii 1983-1990, pe o suprafață de 265000 mp, cu o înălțime de 84 m. Holurile, vastele săli de conferințe și birourile sunt finisate în marmură cu ornamente aurite. Lambriurile, covoarele, lămpile de cristal au fost executate în totalitate în țară.

The Palace of Parliament. Built between 1983 - 1990, over an area of 265000 sq.m., with a heigh of 84 m. The halls, the vast conference auditoriums and the offices are finished in marble with gilt decorations. The stuccoes, the carpets, the crystal lamps were all manufactured in this country.

Parlaments-Palais. Zwischen 1983-1990 errichtet, auf einer Fläche von 265.000 qm, mit einer Höhe von 84 m. Die Flure, die grossen Konferenzsäle und die Büros sind mit vergoldetem Marmor ausgestaltet. Die Wandtäfelungen, die Teppiche, die Kristallüster wurden alle im Land hergestellt.

Le Palais du Parlament, construit entre 1983 - 1990, aire 265000 m.c., hauteur - 84 m. Les halls, les vastes salles de conférences et les bureaux sont en marbre aux ornements dorés. Les lambris, les tapis, les lampes en cristal, tout fut réalisé en Roumanie.

Anticariat amenajat ad-hoc pe treptele Universității.

A second hand book-shop set up ad-hoc on the stairs of the University.

Improvisiertes Antiquariat auf den Treppen der Universität.

Bouquinistes ad hoc aux marches de l'Université.

Piața Universității văzută din hotelul Intercontinental. Universitatea fondată în anul1864, a fost amplasată în clădirea actuală, construită între anii 1857-1869. Muzeul de Istorie și Artă al Municipiului București înființat în 1911, a fost reamenajat în 1959 în Palatul Șuțu, construit în anul 1834 în stil neogotic.

University Square as seen from Intercontinental Hotel. The University, set up in 1864, was located in the present building, erected over 1857 - 1869. The History and Art Museum of Bucharest Municipality set up in 1911, was moved in 1959 to the Șuțu Palace built in 1834 in neo-Gothic style.

Der Universitäts-Platz vom Hotel Intercontinental aus gesehen. Die Universität, 1864 gegründet, wurde ins gegenwärtige Gebäude verlegt, zwischen 1857-1869 errichtet. Das Geschichts- und Kunstmuseum des Munizipiums Bukarest, 1911 gegründet, wurde 1959 im Șuțu-Palais erneut eingerichtet, ein Gebäude im neugotischen Stil aus dem Jahr 1834.

Place de l'Université vue de l'hôtel Intercontinental. Fondée en 1864, l'Université y trouva son siège; la construction dura de 1857 - 1869. Le Musée d'Histoire et d'Art du Municipe de Bucarest fondé en 1911, réaménagé en 1959 dans le Palais Șuțu - construit en style néogothique en 1834.

Muzeul de Artă Feudală "Ing. Dumitru Minovici". Amenajat în casa donată Academiei Române în anul 1944. Conţine mobilier, covoare, tapiserii, ceramică, pictură, cărţi rare, arme vechi, din sec. XV-XVIII.

The "Eng. Dumitru Minovici" Museum of Feudal Art. Laid out in the house donated to the Romanian Academy in 1944. It includes pieces of furniture, carpets, tapestries, paintings, rare books, medieval weapons from the 15th - 18 th centuries.

Das Museum für feudale Kunst "Ing. Dumitru Minovici". Eingerichtet in dem Gebäude, das 1944 der Rumänischen Akademie geschenkt wurde. Es enthält Möbel, Teppiche, Tapisserien, Keramik, Gemälde, seltene Bücher, alte Waffen aus dem XV.-XVIII. Jh.

Le Musée d'Art Féodal "Ing. Dumitru Minovici", aménagé dans la maison donnée à l'Académie Roumaine en 1944, contient du mobilier, des tapis, des tapisseries, de la céramique, de la peinture, des livres rares, des armes des XV-XVII-e siècles.

Vedere generală a cartierului Pajura. Palatul "Presei Libere" a fost ridicat între anii 1950-1956, ca sediu al unor edituri şi redacţii ale ziarelor centrale şi al celui mai mare combinat poligrafic din ţară. Târgul Internaţional Bucureşti a fost construit în anul 1955. Pavilionul central are diametrul 180 m, spaţii de expunere pe trei niveluri, iar cupola de 93 m diametru nu este sprijinită pe piloni centrali.

Pajura residential district. The "Palace of the Free Press" was erected over 1950 - 1956, as the premises of some publishing-houses and of the largest aggregate printing houses in this country. The Bucharest International Fair was built in 1955. The central pavilion has a diameter of 180 m, the exhibition spaces expand on three floors.

Pajura-Viertel - Gesamtansicht. Der Palast der "Freien Presse" wurde zwischen 1950-1956 errichtet, als Sitz für Zeitungen und Verlage und des grössten Druckerei-Kombinats. Das Gelände der Internationalen Messe Bukarest wurde 1955 eingerichtet. Der zentrale Pavillon hat einen Durchmesser von 180 m, Ausstellungsräume auf drei Ebenen.

Vue d'ensemble du quartier de Pajura. Le Palais de la "Presse Libre" construit entre 1950-1956. Siège des maisons d'éditions et rédaction des cotidiens, le plus grand combinat polygraphique du pays. La Foire Internationale de Bucarest, construite en 1955. Le pavillon central d'un diamètre de 180 m, espace d'exposition sur trois niveaux.

Alba

Pentru români Alba este un nume istoric. Aici, în oraşul Alba Iulia, construit pe ruinele cetăţii dacice Apulon, Voievodul Mihai Viteazu a unit în anul 1600 cele trei provincii româneşti. Trei secole mai târziu, tot aici s-a înfăptuit Marea Unire, la **1 decembrie 1918** - dată declarată Ziua Naţională a României.

*To Romanians Alba is a name for history. In the town of Alba Iulia, built on the ruins of the Dacian fortress of Apulon, the ruling-prince Michael the Brave brought in 1600 the Romanian provinces under the same banner. Three centuries later the Great Union was achieved here, on **1 December 1918**, Romania's National Day.*

Für Rumänen ist Alba ein geschichts-trächtiger Name. Hier, in der Stadt Alba Iulia, hatte Woiwode Mihai Viteazul im Jahr 1600 die drei rumänischen Provinzen vereinigt. Drei Jahrhunderte später wurde am **1. Dezember 1918**, die Grosse Vereinigung vollbracht, es ist heute der Nationalfeiertag Rumäniens.

*Pour les Roumains, Alba est un nom chargé d'histoire. C'est à Alba Iulia, ville bâtie sur les ruines de la fortresse dacique d'Apulon, que le voïvode Michel le Brave unit en 1600 les trois provinces roumaines. Trois siècles plus tard eut lieu la Grande Union du **Premier Décembre 1918** - date déclarée Jour National de la Roumanie.*

Deschiderea târgului pe muntele Găina.   *The opening of the fair on the Găina Mt.*   Eröffnung des Markts auf dem Găina-Berg.   *L'ouverture de la foire sur la Mont. de Găina.*

Poarta II-a a cetății Alba Carolina construită între 1714-1738, în sistem Vauban, cu 12 km de ziduri.

The second gate of the Alba Carolina fortress, built over 1714 - 1738, in the Vauban system, with 12 km of walls.

II. Tor der Festung Alba Carolina, sie wurde zwischen 1714-1738 im Vauban-System errichtet, 12 km Mauern.

Le second portail de la cité Alba Carolina bâtie entre 1714 - 1738 en manière Vauban, 12 km de murailles.

Arad

Turiştii care călătoresc prin România pentru prima oară sunt impresionaţi de contrastul dintre clădirile medievale şi cele moderne, în oraşul Arad, mai mult decât în altă parte a ţării. Acest contrast se echilibrează însă, prin blândeţea peisajelor şi frumuseţea costumelor populare locale.

Tourists travelling to Romania for the first time are impressed with the contrast between medieval and modern architecture in Arad more than anywhere else. This, however, is balanced by the mildness of the scenery and the beauty of folk costumes. Those worn by the young women of Şicula village are indeed exquisite.

Die Touristen, die erstmals durch Rumänien reisen, sind in Arad von dem Kontrast zwischen den mittelalterlichen und modernen Gebäuden beeindruckt, der hier stärker als anderswo im Land hervortritt. Dieser Kontrast wird jedoch ausgeglichen durch die milde Landschaft und die Schönheit der hiesigen Volkstrachten.

Le touriste qui visite pour la première fois la Roumanie est frappé par le contraste entre les constructions moyenageuses et modernes qu'on retrouve, plus qu'ailleurs, à Arad. Ce contraste trouve son équilibre dans l'harmo-nie du paysage et la beauté des costumes populaires de ce pays.

Ruinele cetăţii Şiria ridicată de voievodul Gelu în sec. XII.

The ruins of the Şiria fortress erected in the 12th century by voivode Gelu.

Die Ruinen der Burg Şiria, vom Woiwoden Gelu im XII. Jh. errichtet.

Les ruines de la cité de Şiria construite par voïvode Gelu en XII-e siècle.

Arad. Prefectura şi Consiliul Judeţean. Edificiul, declarat monument de arhitectură, a fost construit între anii 1872-1876 în stilul renaşterii flamande.

Arad. The Prefecture and the County Council. The edifice, an architectural monument, was built in the style of Flemish Renaissance, over 1872-1876.

Arad. Die Präfektur und der Kreisrat. Das Gebäude, ein Architektur-Denkmal, wurde zwischen 1872-1876 im Stil der flämischen Renaissance erbaut.

Arad. Siège de la Préfecture et du Conseil Départamental. Ce monument d'architecture fut construit entre 1872 -1876 en style renaissance flamande.

Argeş

Tragica baladă a meşterului Manole, care a zidit-o pe soţia sa Ana în pereţii mănăstirii Argeş pentru ca aceştia să nu se mai prăbuşească, relevă vizitatorilor sensul sacrificiului cerut de o operă de artă perfectă.

The tragic ballad of Master Manole who had to build his wife Ana into the wall to make Argeş Monastery last, gives visitors the sense of ultimate sacrifice requested in creating a perfect work of art.

Die tragische Ballade des Meisters Manole, der seine Frau Ana in die Mauern des Klosters Argeş einmauerte, damit diese nicht mehr einstürzten, lässt den Besuchern den Sinn des Opfers klar werden, den jedes vollkommene Kunstwerk erfordert.

La tragique légende du Maître Manoli, celui qui enmura vivante sa femme Ana dans le monastère d'Argeş, pour que son édifice ne s'écroule plus, relève dans le coeur des visiteurs le sens du sacrifice que tout grand art exige.

Mănăstirea Curtea de Argeş. Ridicată de domnitorul Neagoe Basarab în 1512 pe temeliile Mitropoliei Ţării Româneşti din 1359. Restaurată în 1875. Monument legendar-istoric, de arhitectură şi artă este astăzi sediul Episcopiei Argeşului.

The "Curtea de Argeş" Monastery, the seat of the Episcopate of Argeş. Erected by ruling prince Neagoe Basarab in 1512, on the foundations of the Metropolitan cathedral of Wallachia dating back to 1359. Restored in 1875.

Das Kloster Curtea de Argeş, der Sitz des Bistums Argeş. Es wurde vom Fürsten Neagoe Basarab 1512 auf den Grundmauern der Metropolie der Walachei aus dem Jahr 1359 errichtet. Umfassend restauriert 1875.

Le Monastère de Curtea de Argeş, siège de l'Episcopat d'Argeş. Le prince Neagoe Bessarab le fit construire en 1512 sur les fondations de l'Eglise Métropolitaine de la Valachie de 1359. Restauré en 1875.

Cheile Dâmbovicioarei.   *The gorges of the Dâmbovicioara river*.   Dâmbovicioara - Klamm.   *Les Dâmbovicioara gorges*.

Câmpulung Muscel. Capitală a Ţării Româneşti între 1330-1369. Primăria, edificiu din 1934 construit în stil brâncovenesc.
←Stradă din vechiul oraş.

Câmpulung Muscel. Capital of Wallachia over 1330-1369. The town-hall, an edifice of 1934, built in Brancovan style.
←*A street from the old town.*

Câmpulung Muscel. Hauptstadt der Walachei zwischen 1330-1369. Das Rathaus, ein Gebäude aus dem Jahr 1934, im Brâncovenu-Stil.
←Strasse in der Altstadt.

Câmpulung Muscel. Capitale de la Valachie entre 1330-1369. La Mairie, édifice construit en style brancovan, en 1934.
←*Rue de l' ancienne ville.*

Piteşti, oraşul lalelelor. Liceul "I.C.Brătianu", construit în 1898, în stil românesc.
⬇Stradă în oraşul modern. Biserica Domnească ctitorită de domnitorul Constantin Şerban în anul 1656.

The "I.C.Brătianu" lycée, built in Romanian styl in 1898.
⬇*A street in the modern city. The Princely Church founded by Constantin Şerban in 1656.*

Piteşti, die Stadt der Tulpen. Das Lyzeum "I.C.Brătianu", 1898 im rumänischen Stil gebaut.
⬇Strasse in der Neustadt. Die Fürstenkirche wurde 1656 vom Fürsten Constantin Şerban gestiftet.

Piteşti, ville des tulipes. Le Lycée "I.C.Brătianu" construit en 1898 en style roumain.
⬇*Rue moderne. L'Eglise Domneasca (Princière), fondée par le prince Constantin Şerban en 1656.*

Bacău

Staţiunea Slănic, supranumită "Perla Moldovei", minele de sare de la Târgu Ocna exploatate din vremea romanilor, moderna şcoală de gimnastică de la Oneşti, văile Uzului şi Siretului sunt o parte din obiectivele turistice care dau renumele acestui judeţ.

The spa of Slănic, also called the Pearl of Moldavia, the salt mine at Târgu Ocna in use since the Roman times, the modern school of gymnastics in Oneşti, the valleys of Uz and Siret rivers are part of the wealth and beauty which give this country a good name.

Der Kurort Slănic, der auch "Perle der Moldau" genannt wird, die Salzbergwerke von Târgu Ocna, die bereits seit Römerzeit ausgebeutet werden, die moderne Gymnastik-Schule von Oneşti, die Täler des Uz und Siret gehören zu den touristischen Zielen, die diesen Kreis berühmt machen.

La station Slănic, surnommée "La Perle de la Moldavie", les mines de sel de Târgu Ocna exploitées au temps des Romains, la moderne école de Gymnastique d'Oneşti, les Vallées d'Us et de Siret, ne sont qu'une partie des merveilles touristiques qui font la renommée de ce département.

Palatul Administrativ din Bacău, ridicat în anul 1880.

Bacău. The administrative Palace, built in the year 1880.

Bacău. Der Verwaltungspalast, 1880.

Bacău. Le Palais Administratif, construit en 1880.

Bacău. Biserica domnească "Precista", ridicată în anul 1491 în stil moldovenesc. Loc de pelerinaj religios ales pentru august 2000.

Bacău. The "Precista" (Holy Virgin) princely church, erected in Moldavian style, in 1491. A place of religious pilgrimage, in August 2000.

Bacău. Die Fürstenkirche "Precista", 1491 im moldauischen Stil erbaut. Ziel der Pilgerfahrt im August 2000.

Bacău. L'Eglise princière "Precista" (La Sainte Vierge), bâtie en 1491 en style moldave. Lieu de pèlerinage religieux choisi en août 2000.

Ruinele Curții Domnești ridicată în anul 1481 de Alexandru, asociat la domnie de tatăl său, Ștefan cel Mare. Amenajate muzeistic în 1973.

The ruins of Princely Court erected in 1481 by Alexandru, associated to the reign by his father Stephen the Great. Laid out as a museum in 1973.

Die Ruinen des Fürstenhofs, er wurde 1481 von Alexandru errichtet, Mitregent seines Vaters Ștefan cel Mare. 1973 als Museum eingerichtet.

Les ruines de la Cour Princière fondée en 1481 par Alexandre, associé au trône par son père Etienne-Le-Grand. Ouvertes au public à partir de 1973.

Bihor

Se pare că meşterul sculptor Natura a hotărât să-l întreacă pe om... România are peste 12000 de peşteri şi cele din acest judeţ sunt printre cele mai spectaculoase.

It seems that Nature, turned master sculptor, has decided to challenge man... Romania has about 12000 caves and the ones in this county rank among the most spetacular.

Es scheint, dass die Natur, dieser Bildhauer-Meister, beschlossen hat, den Menschen zu übertreffen... In Rumänien gibt es 12.000 Höhlen, und die jenigen aus diesem Kreis gehören zu den spektakulärsten.

La Nature, ce grand sculpteur, a voulu, paraît-il, dépasser l'homme... Il y a en Roumanie plus de 12000 grottes dont les plus spectaculaires sont dans ce département.

Băile Felix şi Băile 1 Mai, staţiuni balneo-climaterice cu ape termale care funcţionează permanent.
Renumită rezervaţie botanică pentru lotusul termal, relicvă din terţiar, unic în Europa.

Băile Felix and Băile 1 May, spas with thermal waters in activity all year round.
A famous botanical reserve for the thermal lotus, a relic from the tertiary, unique in Europe.

Băile Felix und Băile 1. Mai, Kurorte mit Thermalwasser, Ganzjahrbetrieb. Berühmtes Naturschutzgebiet für die thermale Lotusblume. Reliquie aus dem Tertiär, einzigartig in Europa.

Băile Felix et Băile 1 Mai - stations balnéo-climatiques aux eaux thermales, ouvertes toute l'année. Réserve naturelle renommée par la présence du lotus thermal, relique de l'ère tertiaire, unic en Europe.

Oradea. Muzeul Ţării Crişurilor amenajat în Palatul Baroc, ridicat între anii 1750-1779. Piese de tezaur expuse în muzeu, lucrate de meşteri sibieni în sec. XVII.

Oradea. The Museum of the Country of the Criş Rivers, set up in the Baroque Palace, erected over 1750-1779. Objects of treasures exhibited in the museum, wrought by craftsmen from Sibiu during the 17th century.

Oradea. Das Museum Ţara Crişurilor, eingerichtet im Barockpalast, der zwischen 1750-1779 erbaut wurde. Die im Museum ausgestellten Schmuckstücke wurden von Hermannstädter Meistern im XVII. Jh. gearbeitet.

Oradea. Le Musée du Pays des Criş, aménagé dans le Palais Baroque construit entre 1750 - 1779. Pièces de trésor exposées dans le musée, réalisées par des maîtres sibiens en XVII-e siècle.

Oradea - vedere de pe cheiul Crişului. *Oradea - view from the embankment of* Oradea - Ansicht vom Ufer des *Oradea - vue du quai du Criş. En face,*
În faţă, palatul ridicat în 1907. *the Criş river. The palace built in 1907.* Criş. *le palais construit en 1907.*

Oradea. Bibloteca Municipală, edificiu construit în anul 1905, în stil secession.

Oradea. The Municipal Library, an edifice built in Secession style in 1905.

Oradea. Die Munizipalbibliothek, ein Gebäude aus dem Jahr 1905, im Sezession-Stil.

Oradea. La Bibliothèque Municipale, édifice construit en 1905 en style sécession.

Bistriţa-Năsăud

Aţi făcut deja turul Dracula? Dacă nu, alăturaţi-vă nouă, cât mai curând! În pasul Tihuţa puteţi vizita Castelul construit ca în faimosul roman al lui Bram Stoker. Dar sentimentul romantic ce vă cuprinde se datorează misterului cu care vă înconjoară natura...

Have you done the Dracula Tour? If not, join it as soon as you can! Close to the pass of Tihuţa you will visit Dracula's Castle as you know it from Bram Stoker's famous novel. But do not expect vampires! The romantic feeling here comes from the mystery of the surrounding nature...

Haben Sie bereits die Dracula-Tour gemacht? Wenn nicht, schliessen Sie sich uns so bald als möglich an! Im Tihuţa-Pass können Sie das Schloss besuchen, das nach dem berühmten Roman von Bram Stoker erbaut wurde. Das romantische Gefühl, das Sie erfasst, geht jedoch auf das Geheimnis der Sie umgebenden Natur zurück...

Avez-vous déjà fait le tour Dracula? Sinon, suivez-nous! Dans le pas Tihutza nous attend un château construit selon le modèle de celui décrit dans la fameux roman de Bram Stoker. Laissons-nous bercer par le sentiment romantique que la nature environante éveille de son mystère...

Comuna Coşbuc. Casa Memorială a poetului George Coşbuc a fost amenajată în anul 1922, în casa natală.

The Coşbuc commune. The House of poet George Coşbuc was laid out in his birthplace in 1922.

Die Gemeinde Coşbuc. Das Gedenkhaus des Dichters George Coşbuc wurde 1922 im Geburtshaus eingerichtet.

Le village de Coşbuc. La Maison Mémoriale du poète ouverte en 1922 dans sa maison paternelle.

Hotelul Dracula a fost construit în anul 1983, în Pasul Tihuţa, satul Piatra Fântânele, arhitectura sa amintind de un castel medieval.

Hotel Dracula was built in 1983, in the Tihuţa Mountain Pass, Piatra Fântânele village. Its architectonics are reminiscent of a medieval castle.

Das Hotel Dracula wurde 1983 im Tihuţa-Pass errichtet, beim Dorf Piatra Fântânele, die Architektur erinnert an ein mittelalterliches Schloss.

L'Hôtel Dracula construit en 1983 dans le Pas de Tihuţa du village Piatra Fântânele, dont l'architecture rappelle un château médiéval.

Botoşani

Poetul Mihai Eminescu, istoricul Nicolae Iorga, muzicianul George Enescu, pictorul Ştefan Luchian, născuţi pe aceste meleaguri, sunt nume de referinţă ale culturii române. Păduri, lacuri, crânguri, transfigurate în poezia, muzica, pictura lor, vorbesc despre frumuseţea acestor locuri.

The poet Mihai Eminescu, the historian Nicolae Iorga, the musician George Enesco, the painter Ştefan Luchian, born in this county, are reference names for Romanian culture. Forests, lakes, transfigured into their poetry, music, painting, are eloquent for the beauty of these places.

Der Dichter Mihai Eminescu, der Historiker Nicolae Iorga, der Musiker George Enescu, der Maler Ştefan Luchian, die in dieser Gegend geboren wurden, sind erstrangige Namen in der rumänischen Kultur. Wälder, Seen, Baumgruppen verwandelt in ihre Poesie, Musik, Malerei, sprechen über die Schönheit dieser Gegend.

Mihai Eminescu - le poète, l'historien Nicolae Iorga, le musicien George Enesco, le peintre Ştefan Luchian, tous nés dans cette région sont des noms célèbres de la culture roumaine. Forêts, lacs, bois, chantés en poésie, musique, peinture, témoignent de la beauté de ces endroits.

Noapte în vechiul Botoşani, oraşul visătorilor artişti.

Night in the old city of Botoşani, the town of dreamful artists.

Nacht im alten Botoşani, der Stadt der träumenden Künstler.

Nuit dans la ville de Botoşani - cité des artistes rêveurs.

Teatrul "Mihai Eminescu" - inaugurat în anul 1914, distrus în al II-lea război mondial şi refăcut în 1955. În faţa teatrului, statuia marelui poet naţional.

The "Mihai Eminescu" theatre - opened in 1914, destroyed during WW2 and rebuilt in 1955. The statue of the great national poet.

Das Theater "Mihai Eminescu- eingeweiht 1914, zerstört im II. Weltkrieg und 1955 wieder hergerichtet. Das Standbild des grossen Nationaldichters.

Le Théâtre "Mihai Eminescu", inauguré en 1914, détruit pendant la Deuxième Guerre mondiale, reconstruit en 1955.

Braşov

Important centru industrial şi comercial, Braşovul este renumit pentru turism şi petrecerea timpului liber. La 12 km de oraş se află Poiana Braşov, cea mai cunoscută staţiune montană a ţării. Pe lângă facilităţile moderne de ski, aceasta oferă turiştilor acces spre munţii Bucegi, Piatra Craiului şi Făgăraş.

↓Mănăstirea Sâmbăta, ctitorită de Preda Brâncoveanu în anul 1656, distrusă în 1785 de austrieci şi refăcută în 1928-1936. Restaurată recent.

An important industrial and commercial centre, Braşov is also a county for tourism and best quality entertainment. At 12 km from the city Poiana Braşov is Romania's best known mountain resort. Besides modern facilities it offers easy access to the Bucegi, Piatra Craiului and Făgăraş Mountains.

↓*The "Sâmbăta" Monastery, founded by Preda Brâncoveanu in 1656, destroyed by the Austrians in 1785 and rebuilt over 1928 - 1936.*

Ein wichtiges Industrie- und Handelszentrum, ist Kronstadt auch wegen dem Tourismus berühmt. 12 km von der Stadt entfernt befindet sich Poiana Braşov. Ausser den modernen Skimöglich-keiten, haben die Touristen von hier aus Zugang ins Bucegi-, Piatra Craiului- und Făgăraş-Gebirge.

↓Das Kloster Sâmbăta, 1656 von Preda Brâncoveanu gestiftet, 1785 von den Österreichern zerstört und zwischen 1928-36 wieder hergerichtet.

Braşov, important centre commercial et industriel, est aussi renommé pour le tourisme. Située à 12 km de la ville, Poïana Braşov reste la plus connue des stations montagneuse du pays. Elle offre de modernes facilités pour du ski et l'accès vers les Bucegi, Piatra Craïului, Făgăraş.

↓*Le monastère de Sâmbàta, fondé par Preda Brâncoveanu en 1656, détruit par les Autrichiens en 1785, refait entre 1928 - 1938.*

Braşov. Biserica Neagră, ridicată între 1384-1477, în stil gotic. Deţine o orgă cu 4000 tuburi din 1839. Uşi bogat decorate, vitralii. Restaurată recent.

Braşov. The Black Church, erected over 1384 - 1477, in Gothic style. It houses an organ with 4000 pipes. Richly decorated doors, stained-glass windows. Recently restored.

Braşov, die Schwarze Kirche, zwischen 1384-1477 im gotischen Stil erbaut. Die Orgel aus dem Jahr 1839 hat 4000 Pfeifen. Reich ausgeschmückte Türen, Vitralien. Kürzlich restauriert.

Braşov. L'Eglise Noire, bâtie en style gothique entre 1384 - 1477. Son orgue aux 4000 tuyaux date de 1839. Il y a des portails richement décorés et des vitraux. Récemment restaurée.

Costum popular săsesc.
A Transylvanian Saxon folk-costume.
Sächsische Volkstracht.
Costume populaire allemand de Transylvanie.

Poiana Braşov este o staţiune climaterică, turistică, amenajată pentru sporturi de iarnă la nivel internaţional. Piscine, terenuri de sport, patinoar.

Poiana Braşov is a tourist resort with facilities for winter sports, at international standards. Pools, playing fields, skating rink.

Poiana Braşov ist ein Luftkurort, auf internationalem Standard eingerichtet für Wintersport. Schwimmbecken, Sportplätze, Eislaufplatz.

Poiana Braşov - station climatique, touristique, aménagée pour les sports d'hiver au niveau international. Piscines, terrains de sport, patinoire.

←Braşov. "Casa Sfatului", clădire din sec. XIII-XIV cu restaurări ulterioare în stil Renaştere şi baroc. În prezent, muzeu de istoria judeţului.

←Braşov, "The Council House", a building dating back to the 13th-14th centuries, with subsequent renovation in the Renaissance and Baroque styles. At present it houses the history museum of the county.

← Braşov (Kronstadt), das Alte Rathaus, ein Gebäude aus dem XIII.-XIV. Jh., nachträglich restauriert im Stil der Renaissance und des Barock. Gegenwärtig Geschichtsmuseum des Kreises.

←Braşov, "Casa Sfatului", édifice datant des XIII - XIVe s., restauré ultérieurement en styles Renaissance et baroque. Aujourd' hui Musée d'Histoire du municipe.

Brăila

Înconjurată de două braţe ale Dunării şi alte trei râuri, Brăila de astăzi este acelaşi pământ al apelor, legendelor şi pasiunilor romantice pe care l-a descris Panait Istrati în cărţile sale.

Surrounded by two Danube branches and three others rivers, today's Brăila is the same land of waters, legends, fragrances and romantic torment as deecribed by Panait Istrai in his books.

Von zwei Donauarmen und drei Flüssen umgeben, ist Brăila heute derselbe Boden der Gewässer, Sagen und romantischen Leidenschaften, die Panait Istrati in seinen Büchern geschildert hat.

Entournée par deux bras du Danube ainsi que par trois autres rivières, Brăila de nos jours - terre des eaux, des légendes et des passions romantiques, garde le parfum du temps que Panaït Istrati décrit dans ses livres.

Brăila. Teatrul Maria Filotti, sec.XX.   *Brăila. The "Maria Filotti" Theatre.*   Brăila. Das Theater "Maria Filotti".   *Brăila. Le Théâtre "Maria Filotti".*

Buzău

Luați-vă o zi de excursie spre Țara Buzăului. Este de-ajuns să vizitați zona aridă, lunară a Vulcanilor Noroioși. Veți simți singurătatea pe propria planetă. După care, poiana plină de culoare a taberei de sculptură Măgura, de lângă mănăstirea Ciolanu, vă va reda încrederea în frumusețe și creație.

Take a one day trip to Buzău county. It is just enough in order to visit the moon-like barren area of the Muddy Volcanoes. You will feel an alien on your own planet. The colourful setting of the sculpture camp at Măgura near Ciolanu Monastery will make you regain confidence in beauty and creation.

Halten Sie sich einen Tag frei für einen Ausflug in die Țara Buzăului. Es genügt, dass Sie die Mondlandschaft der Schlammvulkane besuchen. Sie werden die Einsamkeit auf dem eigenen Planeten verspüren. Sodann wird Ihnen die farbenfrohe Alm des Bildhauerlagers Măgura, neben dem Ciolanu-Kloster, das Vertrauen in die Schönheit und das Schaffen wieder schenken.

Réservez un jour d'excursion pour le pays de Buzău. Visitez-y la zone arride, lunaire des Volcans Boueux. C'est la solitude-même qui règne sur notre planète. Visitez ensuite le pré fleuri du camp de sculpture de Măgura, près du monastère de Ciolanu, pour retrouver la confiance dans la beauté et dans la création.

Buzău, capitala județului, atestată documentar în anul 376, denumită Buzău în 1234. Bulevardul Unirii. În față, clădirea Bibliotecii Județene, construită la începutul sec. XX.

Buzău, county seat, attested by documents in 376 A.D., named Buzău in 1234. Unirii Boulevard. In the foreground, the building of the County Library, 20th century.

Buzău, Kreishauptstadt, urkundlich belegt im Jahr 376, Benennung Buzău 1234. Unirii-Boulevard. Im Vordergrund das Gebäude der Kreisbibliothek, zu Beginn des XX. Jh. errichtet

Buzău, chef-lieu du département, attesté historiquement en 376, nomé Buzău à partir de 1234. Le Boulevard de l'Union. En face, l'édifice de la Bibliothèque Départementale.

⬇ Comuna Berca. Rezervaţia geologică "Vulcanii noroioşi", 36 ha, unică în ţară şi rară în lume, cu emanaţii de gaze în teren argilos.

⬇ *The Berca commune. The geological reserve "The Muddy Volcanoes", unique in the country and rare in the world, with emanations of gases from argillaceous ground.*

⬇ Die Gemeinde Berca. Das geologische Naturschutzgebiet "Schlammvulkane", 36 ha, einzigartig im Land und selten in der Welt, mit Gasausströmung auf tonhaltigem Boden.

⬇*Le village de Berca. La Réserve géologique "Les Volcans Boueux", 36 hectares, unique dans le pays et assez rare dans le monde, aux emanations des vapeurs et de la boue.*

⬆Comuna Tisău. Tabăra de sculptură contemporană "Măgura".

⬆*The camp of contemporary sculpture "Măgura", in the Tisău commune.*

⬆Der zeitgenössische Skulpturenpark "Măgura", Gemeinde Tisău.

⬆*Le camp de sculpture contemporaine de Màgura, dans le village de Tisău.*

Caraş Severin

Este bine cunoscută tradiţia seculară a unor centre industriale ca Bocşa, Reşiţa, Anina. Renumită este, din vremuri romane, staţiunea Herculane, cu izvoare calde, miraculoase, în care se poate face baie în aer liber tot timpul anului. Drumeţii splendide pot fi făcute pe valea Cernei, pe râul Nera sau pe molcoamele creste ale munţilor Semenic.

The centuries old tradition of some industrial centres such as Bocşa, Reşiţa, Anina is well-known. Famous from Roman times is the Herculane spa, with magic thermal waters, where you can bath outdoors all the year round. Wonderful treckings can be undertaken along the Cerna valley, the Nera river or the gentle ridges of the Semenic mountains.

Wohlbekannt ist die Jahrhunderte alte Tradition von Industrieorten wie Bocşa, Reşiţa, Anina. Berühmt seit römischen Zeiten ist der Kurort Băile Herculane, mit heissen, wunder wirkenden Quellen, in denen man das ganze Jahr über im Freien baden kann. Herrliche Wanderungen kann man im Cerna-Tal unternehmen, durch die Nera-Klamm oder auf den milden Berghängen des Semenic.

C'est bien connue la tradition séculaire des centres industriele de Bocşa, Reşiţa, Anina. Renommée aussi, du temps des Romains, la station de Herculane avec ses sources chaudes, miraculeuses où l'on peut se baigner en plein air toute l'année. Si vous aimer aller à pied, la Vallée de Cerna, la rivière de Néra et les crêtes douces des montagnes de Séménic vous y attendent.

Vedere generală spre Reşiţa, capitala judeţului, oraş atestat în sec. XV.

Overall view of Reşiţa, the county seat, a town attested by documents in the 15th c.

Gesamtansicht von Reşiţa, Kreishauptstadt, urkundlich belegt seit dem XV. Jh.

Vue générale vers Reşitza - chef-lieu du département, ville attestée au XV-e siècle.

Caransebeş. Clădirea Consliului Municipal ridicată în sec. XIX. *Caransebeş. The building of the Municipal Council, 19th c.* Caransebeş. Das Gebäude des Munizipalrats, erbaut im XIX. Jh. *Caransebeş. Le Conseil Municipal, édifice construit au XIX-e s.*

Călăraşi

Metalurgie, prepararea hârtiei, şantier naval în partea de sud a României, lanuri dormitând de-alungul Dunării - sunteţi în zona Călăraşilor. Numeroase vestigii neolitice, apoi dacice şi romane, expuse în muzee, frumuseţea jocurilor şi colindelor, atestă că acest teritoriu e locuit de milenii.

Metal processing, paper manufacturing, shipyards, the southern part of the Romanian plain lying sleepily along the bank of the Danube - you are in Călăraşi county. Neolithic, Dacian and Roman vestiges, the beauty of the local folklore testify to the habitancy of the territory for thousands of years.

Metallurgie, Papierverarbeitung, die Schiffswerft im Süden Rumäniens, Felder entlang der Donau - Sie befinden sich im Gebiet von Călăraşi. Neolitische, sodann dakische und römische Zeugnisse, die in Museen ausgestellt sind, die Schönheit der Volkstänzend - lieder beweisen, dass dieses Territorium seit Jahrtausenden bewohnt ist.

Métallurgie, préparation du papier, chantier naval au Sud de la Roumanie, champs de blé somnolant le long du Danube - nous-voilà dans la région de Călăraşi! De vestiges néolithiques, daciques et romains exposés dans le musée, la beauté des traditions témoignent de l'existence millénaire de la vie sur ce territoire.

Călăraşi, str. Sloboziei. Clădirea Primăriei a fost ridicată în anul 1895, în stil neoclasic.

Călăraşi, Slobozia street. The building of the tounhall was erected in neo-classic style in 1895.

Călăraşi, Str. Sloboziei. Das Rathaus wurde 1895 im neoklassischen Stil erbaut.

Calaraşi, rue de la Slobozie. La Mairie, édifice en style néo-classique construit en 1895.

Călăraşi. Palatul Administrativ, clădit în 1897
în stil neoclasic şi parcul municipal, cu vedere
spre braţul Borcea al Dunării.

*Călăraşi. The Administrative Palace, built in neo-
classic style in 1897 and the municipal park, over-
looking the Borcea branch of the Danube.*

Călăraşi. Der Verwaltungspalast wurde 1897 im
neoklassichen Stil errichtet und der Stadtpark, mit
Blick auf den Borcea-Arm der Donau.

*Călăraşi. Le Palais Administratif, édifié en 1897
en style néoclassique et le parc municipal, vue sur
le bras de Borcea du Danube.*

Cluj

În anul124 d.Chr. pe acest teritoriu al Daciei antice, romanii au construit castrul Napoca. Mai târziu, aici a fiinţat capitala medievalei Transilvanii. Astăzi, Cluj-Napoca este unul dintre marile centre industriale, universitare şi culturale ale României.

In 124 AD on this ancient Dacian territory the Romans built the castrum of Napoca. Later on the town flourished into the capital of medieval Transylvania. Today Cluj-Napoca is one of the largest industrial, university and cultural centres of Romania.

Im Jahr 124 n. Chr. haben auf diesem Gebiet des antiken Dazien die Römer das Castrum Napoca errichtet. Später hat sich hier die mittelalterliche Hauptstadt Transsilvaniens befunden. Heute bildet Cluj-Napoca eines der grossen Industrie-, Hochschul- und Kulturzentren Rumäniens.

En 124 ap.Jh.C. les Romans construi-sirent le castre Napoca sur le territoire de l'ancienne Dacie. Plus tard il y eut la capitale médiévale de la Transylvanie. De nos jours, la ville de Cluj-Napoca est devenue l'un de grands centres industriels, universi-taires et culturels de Roumanie.

Cluj-Napoca. Monument ridicat în 1994, amintind de Mişcarea pentru drepturile românilor din Transilvania din 1892.

Cluj-Napoca. The monument erected in 1994, immortalizing the Move-ment for the Romanians Rights in Transylvania, from 1892.

Cluj-Napoca, 1994 errichtetes Denkmal zur errinnerung an die Bewegung für die Rechte der Rumänen in Transsilvanien 1892.

Cluj-Napoca. Monument élevé en 1994, en mémoire du Mouvement pour les droits des Roumains de Transylvanie de 1892.

Cluj-Napoca. Primăria, clădită în stil neorenascentist, în anul 1843.

Cluj-Napoca. The Townhall, built in neo-Renaissance style, in 1843.

Klausenburg. Das Rathaus - 1843 im Stil der Neu-Renaissance errichtet.

Cluj-Napoca. La Mairie, construite en 1843 en style néo-renaissance.

Cluj-Napoca. Biserica romano-catolică "Sf. Mihail" construită între 1350-1487 în stil gotic. Statuia ecvestră a regelui Matei Corvin, realizată în 1902..
Amvon monumental sculptat în 1870.

Cluj-Napoca. The "St. Michael" Roman-Catholic church, built in Gothic style over 1350-1487. The equestrian statue of king Matias Corvin, erected in 1902.
Monumental pulpit sculptured in 1870.

Klausenburg. Die römisch-katholische St. Michaels-Kirche, zwischen 1350-1487 im gotischen Stil erbaut. Das Reiterstandbild des Königs Mathias Corvinus, aus dem Jahr 1902.
Geschnitzte monumentale Kanzel, 1870.

Cluj-Napoca. L'Eglise romano-catholique "St. Michel", en style gothique, construite entre 1350-1487.
La statue équestre du roi Mathieu Corvin, réalisée en 1902.
Chaire monumentale sculptée en 1870.

Cluj-Napoca. Universitatea "Babeş-Bolyai", edificiu din 1893. Grupul statuar "Şcoala Ardeleană". Interior - Sala Magna.

Cluj-Napoca. The "Babeş-Bolyai" University, an edifice from 1893. The statuary group "The Romanian Transylvanian School". Inside - the Magna Hall.

Cluj-Napoca. Die Universität "Babeş-Bolyai", Gebäude aus dem Jahr 1893. Statuengruppe "Şcoala Ardeleană" (Siebenbürgische Schule). Innenansicht - Aula Magna.

Cluj-Napoca. L'Université "Babeş-Bolyai" datant de 1893. Le groupe statuaire "Şcoala Ardeleană" (L'Ecole d'Ardeal). La Sala Magna.

Constanţa

Portul Constanţa este unul dintre cele mai mari porturi europene, aflat la încrucişarea unor drumuri comerciale continentale. În acelaşi timp, zona oferă turiştilor 100 km de litoral - staţiuni cu plaje amenajate pe malul Mării Negre. Nisipul fin, hotele moderne, facilităţi de tratament şi distracţie pentru tineri şi vârstnici, vă invită să petreceţi aici concedii de neuitat.

The port of Constanţa ranks amongst the largest sea-ports of Europe as it lies at the crossing of continental commercial routes. At the same time the area offers tourists 100 km of sea-coast resorts with beaches laid out along the Black Sea. The fine golden sand, the modern hotels, the treatment and entertainment facilities for people of all ages, invite you to spend here some unforgettable holidays.

Der Hafen Constanţa ist einer der grössten europäischen Häfen. Gleichzeitig bietet die Zone den Touristen 100 km Meeresküste - Kurorte und Strände am Schwarzen Meer. Der feine Sand, die modernen Hotels, die Kur- und Unter-haltungsmöglichkeiten für Jung und Alt laden Sie ein, hier einen unvergesslichen Urlaub zu verbringen.

Le port de Constantza, l'un des plus grands ports européenes, se trouve au carrefour des routes commerciales continentales. La région offre 100 km de littoral - des stations avec de plages aménagées au bord de la Mer Noire. Sable fin, hôtels modernes, facilités de balneotherapie pour touts les âges, voilà quelques arguments pour y passer d'inoubliables vacances.

În Constanţa de 15 august, Ziua Marinei.

In Constantza on August, the 15th, Navy Day.

In Constanţa am 15. August, dem Tag der Marine.

Constantza. Fête de la Marine (le 15 Août).

Constanţa. Cazinoul - construit în 1909, în stil baroc francez, cu elemente rococo.
Constantza. The Casino- built in 1909, in French Baroque style with rococo elements.
Constanţa. Das Kasino - 1909 im Stil des französischen Barock, mit Rokoko-Elementen erbaut.
Constantza. Le Casino, construit en 1909 en style baroque français, aux élements du style rococo.

Muzeul Arheologic în aer liber. Fragmente din zidul cetăţii antice Tomis.
The Outdoor Museum of Archaeology. Fragments from the wall of the ancient fortress city of Tomis.
Das Archäologische Freilichtmuseum. Bruchstücke aus der Mauer der antiken Festung Tomis.
Le Musée Archéologique en plein air. Fragments de la muraille de l'ancienne cité de Tomis.

Mangalia - Olimp. Complexul ho-
telier inaugurat în anul 1965.

*Mangalia - Olimp. The complex of
hotels built in 1965.*

Mangalia - Olimp. Der Hotelkomplex,
der 1965 eingeweiht wurde.

*Mangalia - Olimp. Le complexe
hôtelier contruit en 1965.*

Hotelele mici de pe litoral -cum sunt Dana din staţiunea Venus sau Ad-Ella din Eforie Nord - oferă pe lângă confort, un plus de intimitate.

The small hotels at the sea-side, such as Dana from the Venus resort or Ad-Ella in Eforie Nord, provide besides full conveniences an additional touch of intimacy.

Die kleinen Hotels an der Küste, wie Dana im Seebad Venus oder Ad-Ella in Eforie Nord, bieten ausser dem Komfort ein Plus an Intimität.

Petits hôtels sur le littoral, tels Dana de la station de Vénus ou Ad-Ella d'Eforie-Nord, offrent du confort et de l'intimité.

Covasna

Aveţi necazuri cu inima? Sau cu proasta circulaţie sanguină? Iată remediul: petreceţi un concediu în staţiunea Covasna. Este de departe mai benefic decât pilulele de fiecare zi! Eleganţa hotelelor şi amabilitatea personalului vă vor copleşi!

Have you troubles with your heart? Or bad circulation? We have the remedy: spend your holidays and take treatment at Covasna. It's by far better than a handful of drugs every day! You will be outright delighted by the elegance and courtesy of the personnel!

Leiden Sie an Herzbeschwerden? Oder an Kreislaufstörungen? Es gibt ein Mittel dagegen: Verbringen Sie einen Urlaub im Kurbad Covasna. Das ist weitaus bekömmlicher als die Pillen, die man jeden Tag schluckt!
Die Eleganz sowie die Freundlichkeit des Personals werden Sie beeindrucken!

Le coeur vous fait-il des problèmes? La circulation ne va pas? En voici le remède: passez vos vacances dans la station de Covasna. De loin beaucoup plus bienfaisant que toute pilule quotidienne.
L'élégance et l'amabilité du personnel y sont remarquables.

Covasna - centru.

Covasna - the centre.

Covasna - das Zentrum.

Covasna - le centre.

Intrare în Sfântu Gheorghe - capitala județului, oraș atestat la 1332. Monumentul ostașului român, ridicat în 1974.

Entrance into Sfântu Gheorghe - the county seat, a town attested by documents in 1332. The monument of the Romanian Soldier erected in 1974.

Einfahrt nach Sfântu Gheorghe - Kreishauptstadt, urkundlich belegt seit 1332. Denkmal des rumänischen Soldaten, 1974 errichtet.

Entrée dans la ville de Sfântu Gheorghe - chef-lieu du département, ville attestée en 1332. Le Monument du Soldat Roumain, élevé en 1974.

La altă intrare în oraș, restaurantul "Castel".

Located by another entrance into the city, the "Castel" restaurant.

Bei einer anderen Stadteinfahrt befindet sich das Restaurant "Castel".

Le restaurant "Castel". A une autre entrée de la ville.

Dâmboviţa

Măreţia ruinelor curţii princiare dominată de turnul Chindiei, vine din secolele istoriei... Fosta capitală a Ţării Româneşti îşi poartă cu demnitate povara faimei sale chiar dacă astăzi Târgovişte este un oraş modern.

The greatness of the princely fortress dominated by Chindia Tower comes to us from centuries of history...
The former capital of Wallachia is bearing with dignity the burden of its fame, even though Târgovişte is a modern city at present.

Die Grossartigkeit des Fürstenhofs, die vom Chindia-Turm beherrscht wird, kommt aus Jahrhunderten der Geschichte... Die ehemalige Hauptstadt der Walachei trägt die Last ihres Ruhms mit Würde, selbst wenn Târgovişte heute eine moderne Stadt ist.

La majesté des ruines de la cité princière dominée par la tour de Chindia, vient du fond de l'histoire. L'ancienne capitale de la Valachie porte avec dignité le poids de sa renommée même si de nos jours Târgovişte est une ville moderne.

Târgovişte, Palatul Administrativ, 1972. Statuia domnitorului Mircea cel Bătrân.

Târgovişte. The administrative Palace, 1972. Statue of prince Mircea the Old.

Târgoviste, der Verwaltungspalast, 1972. Standbild des Fürsten Mircea cel Bătrân.

Târgovişte, le Palais Administratif, 1972. La statue du prince Mircea-Le-Vieux.

Târgoviște, capitala Țării Românești între 1396 - 1714. Complexul Național Muzeal Curtea Domnească, înființat în 1967. Cuprinde ruinele palatului construit de domnitorul Mircea cel Bătrân în 1395, mărit de Petru Cercel în 1583 când a ridicat și biserica Domneasca Mare; reamenajat de Matei Basarab și Constantin Brâncoveanu în sec. XVII. Turnul Chindiei ridicat de domnitorul Vlad Țepeș în sec. XV.

Târgoviște, the capital of Wallachia, over 1396-1714. The National Museum Complex of the Princely Court sat up in 1967. It includes the ruins of the palace built by ruling-prince Mircea the Old in 1395, enlarged by Petru Cercel in 1583 when he also erected the Large Princely Church; renovated by Matei Basarab and Constantin Brâncoveanu in the 17th c.
The "Chindia" (Sunset) Tower erected by ruling-prince Vlad the Impaler in the 15th century.

Târgoviște, Hauptstadt der Walachei zwischen 1396-1714. Der Nationale Museumskomplex Curtea Domnească, 1967 eingerichtet. Er umfasst die Ruinen des Palastes, der 1395 vom Fürsten Mircea cel Bătrân gebaut wurde, 1583 von Petru Cercel vergrössert, als er auch die Grosse Fürstenkirche erbaute, neu hergerichtet von Matei Basarab und Constantin Brâncoveanu im XVII. Jh. Der Chindia-Turm, vom Fürsten Vlad Țepeș im XV. Jh. erbaut.

Târgoviște - capitale de la Valachie (1396 - 1714). Le Complexe National muséeal Curtea Domnească, fondé en 1967. On y trouve les ruines du palais construit par le prince Mircea-Le-Vieux en 1395, agrandi en 1583 par Petru Cercel quand on y ajouta l'église Domneasca Mare; réaménagé par Matei Basarab et Constantin Brâncoveanu en XVII e. siècle. La Tour de Chindia construit par Vlad Tzepeș au XV-e s.

Festivalul-concurs naţional de romanţe "Crizantema de aur" ajuns la a 32-a ediţie, este găzduit toamna, în Târgovişte, în amintirea aviatorului poet şi compozitor Ionel Fernic.

The national festival of sentimental songs "Golden Chrysanthemum" at its 32nd edition, each autumn in Târgovişte, in memory of the poet aviator and composer Ionel Fernic.

Der nationale Romanzen-Wettbewerb "Goldene Krysantheme" hat bereits 32 Auflagen erreicht, er findet im Herbst in Târgovişte statt, zur Erinnerung an den Flieger und Komponisten Ionel Fernic.

Le Festival-Concours national de romances "Chrysanthème d'or", arrivé à sa 32-ième édition. On y organise, afin de commèmorer le poète-compositeur et l'aviateur Ionel Fernic.

O modernă reţea hotelieră oferă turiştilor găzduire în frumoasa regiune deluroasă a Târgoviştei. În zilele senine, din hotel se pot vedea în zare, munţii Bucegi.

A modern hotel network provides accommodation to the tourists in the beautiful hilly area of Târgovişte. On cloudless days from here one can glimpse the Bucegi Mountains.

Ein modernes Hotelnetz steht den Touristen im herrlichen Bergland um Târgovişte zur Verfügung. An heiteren Tagen kann man vom Hotel aus in der Ferne die Bucegi-Berge sehen.

Un moderne réseau d'hôtels assure l'hébergement aux touristes dans la belle région des collines de Târgovişte. Par les jours ensoleillés on aperçoit à l'horizon les montagnes de Bucegi.

Dolj

Cândva reşedinţă a banilor Olteniei, Craiova este azi un oraş cu clădiri moderne şi parcuri romantice. Şcoli, universităţi, teatre, umplu străzile de tineret. Localnicii spun că aici, la asfinţit, în umbra adâncă a castanilor, şoaptele de dragoste sunt cele mai dulci...

Old seat of the Bans, Craiova is now a city with modern buildings and romantic parks. Schools, universities, are crowding the streets with young people. They mean that in the thick shadow of the chestnut-trees, the whispers of love are the sweetest...

Einstmals Residenz der Bans von Oltenien, ist Craiova heute eine Stadt mit modernen Gebäuden und romantischen Parks. Die Strassen sind voller Jugend. Im Abendwerden, im tiefen Schatten der Kastanien, sei hier das Liebesgeflüster am süssesten, sagen die Einheimischen...

Ancienne résidence des bans d'Olténie, Craiova est aujourd'hui une ville moderne aux parcs romantiques. Ses rues grouillent de jeunes gens des écoles et universités. On dit qu'à à l'ombre des marronniers, les mots d'amour sont les plus doux...

Craiova. Palatul Administrativ - edificiu monumental construit între 1907-1910 în stil românesc.

Craiova. The administrative palace is a monumental edifice built over 1907-1910 in Romanian style.

Craiova. Der Verwaltungspalast - ein monumentales Bauwerk, zwischen 1907-1910 im rumänischen Stil errichtet.

Craiova. Le Palais Administratif - édifice monumental en style roumain construit entre 1907 - 1910.

Craiova. Muzeul de Artă amenajat în 1954 în palatul negustorului Mihail construit între 1899-1907. Monument de arhitectură în stil renascentist şi baroc târziu, cu stucatură aurită, oglinzi veneţiene, candelabre de cristal Murano, scări şi coloane din marmură de Carrara, plafoane pictate, tapiserie din mătase de Lyon, mobilier de valoare. Prezintă galerii de artă românească şi universală.

Craiova. The Art Museum set up in 1954 in the palace of merchant Mihail, which was built over 1899-1907. An architectural monument in Renaissance and late Baroque style, with gilt stucco work, Venetian mirrors, Murano chandeliers, stairways and columns of Carrara marble, painted ceilings, Lyon silk tapestries, valuable pieces of furniture. It displays galleries of both Romanian and universal art.

Craiova. Das Kunstmuseum, das 1954 im Palais des Händlers Mihail eingerichtet wurde, zwischen 1899-1907 gebaut. Ein Architektur-Denkmal, im Stil der Renaissance und des späten Barock, mit vergoldeter Stukkatur, Spiegeln aus Venedig, Kronleuchtern aus Murano-Kristall, Treppen und Säulen aus Carrara-Marmor, bemalten Plafonds, Tapisserien aus Lyon-Seide, wertvolle Möbel. Galerien mit rumänischer und Weltkunst.

Craïova. Le Musée d'Art ouvert en 1954 dans le palais du marchand Mihaïl qu'il fit construire entre 1899 - 1907. Monument d'architecture en styles renaissance et baroque tardif au stucage doré, glaces vénitiennes, chandeliers en cristal de Murano, escaliers et piliers en marbre de Carrare, plafonds peints, tapisseries de Lyon, riche mobilier. On y expose de l'art roumain et universel.

Craiova. Casa maură - ansamblu şi detaliu.

Craiova. The Moorish House-overall view and detail.

Craiova. Das maurische Haus - Gesamtansicht und Detail.

Craïova. La Maison Maure - ensemble et détail.

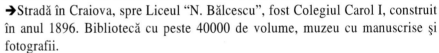

➔Stradă în Craiova, spre Liceul "N. Bălcescu", fost Colegiul Carol I, construit în anul 1896. Bibliotecă cu peste 40000 de volume, muzeu cu manuscrise şi fotografii.

➔*Street in Craiova, leading to the "Nicolae Bălcescu" Lycée, the former "Carol I" College, built in 1896. Library with over 40000 volumes, museum with manuscripts and photographs.*

➔Strasse in Craiova, in Richtung des Lyzeums "N. Bălcescu", ehemals Kollegium Carol I., 1896 erbaut. Bibliothek mit über 40.000 Bänden. Museum mit Manuskripten und Fotografien.

➔*Rue de Craïova menant vers le Lycée "N. Bălcescu", ancien Collège "Carol I", construit en 1896. Sa bibliothèque detient plus de 40000 volumes, un musée de manuscrits et de photos.*

↑Casa Băniei. Cea mai veche clădire laică din Craiova, construită în sec. XV, reclădită în 1699 de domnitorul Constantin Brâncoveanu. În prezent găzduieşte Secţia Etnografică a Muzeului Olteniei.

↑*The Ban's Residence. The oldest lay edifice in Craiova, erected in the 15th c., rebuilt in 1699 by ruling-prince Constantin Brâncoveanu. At present it houses the Section of Ethnography of the Museum of Oltenia.*

↑Das Haus der Bănie. Ältestes weltliches Gebäude in Craiova, im XV. Jh. errichtet. 1699 vom Fürsten Constantin Brâncoveanu umgebaut. Gegenwärtig ist hier die Volkskunde-Abteilung des Museums von Oltenien untergebracht.

↑*La Maison de la Banïe, le plus ancien édifice laïque de Craïova, construit au XV-e s., restauré en 1699 par le prince Constantin Brancoveanu. Aujourd'hui il y a la Section Ethnographique du Musée d'Olténie.*

Galaţi

Port la Dunăre, Galaţiul este un important centru de prelucrarea metalelor. În acelaşi timp, este un loc plin de istorie, cu ruinele unor cetăţi din timpuri dacice şi din vremea lui Ştefan cel Mare. Renumita biserică fortificată, Precista, ridicată în sec. XVII, combină armonios stilul arhitectonic moldovenesc cu cel valah şi transilvănean.

A Danube port, Galaţi is a major centre for metal processing. It is a place rich in historical vestiges, with the ruins of some cities from Dacian times and from Stephen the Great's epoch. The famous fortified church, "The Holy Virgin", erected in the 17th c. combines the Mol-davian architectural style with Wallachian and Transylvanian ones.

Ein Donauhafen, ist Galaţi ein wichtiges Zentrum der Metallver-arbeitung. Gleichzeitig handelt es sich um einen Ort voller Geschichte, mit Burgruinen aus dakischer Zeit oder aus der Zeit von Ştefan cel Mare. Die berühmte Wehrkirche Precista, die im XVII. Jh. gebaut wurde, vereint harmo-nisch den moldauischen Baustil mit dem der Walachei und Transsilvaniens.

Port sur le Danube, la ville de Galatzi est un important centre d'usinage des métaux. C'est en même temps un lieu chargé d'histoire dont les ruines des cités daces ou celles du temps d'Etienne le Grand en témoignent. L'église fortifiée "Precista", bâtie en XVII-ième siècle combine le style architectonique moldave avec cex de Valachie et Transylvanie.

Galaţi. Gara fluvială.   *Galatzi - The fluvial station.*   Galaţi. Das Hofengebäude.   *Galatzi. Gare fluviale.*

Galaţi. Faleza Dunării in lungime de 4 km, zonă verde şi autostradă.

Gatlatzi. The 4 km long embankment of the Danube, green areas and the superhighway.

Galaţi. Der Donau-Quai ist 4 km lang, Grünzone und Autobahn.

Galatzi. La rive du Danube - 4 km de zone verte et autoroute.

Galaţi. Statuia marelui om politic Ion C. Brătianu, care a contribuit la făurirea României moderne. În spate, biserica-fortăreaţă "Precista" ridicată în anul 1647, de domnitorul Moldovei, Vasile Lupu.

Galatzi. The statue of the great statesman Ion C. Brătianu, who made his contribution to the achievement of modern Romania.
In the background, the "Precista" (Virgin Mary) fortress, erected by the ruling-prince of Moldavia, Vasile Lupu, in 1647.

Galaţi. Das Standbild des grossen Politikers Ion C. Brătianu, der zur Schaffung des modernen Rumänien beigetragen hat. Im Hintergrund die befestigte Kirche "Precista", 1647 vom Fürsten der Moldau Vasile Lupu erbaut.

Galatzi. La statue du grand politicien Ion C. Brătianu qui contribua à la fondation de la Roumanie moderne. Au fond, l'église-forteresse "Precista", bâtie en 1647 par le prince de Moldavie Vasile Lupu.

Giurgiu

Alt port la Dunăre, Giurgiu, este cea mai importantă cale de acces spre Bucureşti, venind din sudul ţării. Dacă faceţi primăvara acest drum, veţi vedea pământul revenind la viaţă, plin de miei şi de meri înfloriţi. Sau călătoriţi într-o toamnă bogată, cu viile grele de ciorchini galbeni, când parfumul vinului nou îmbată...

Another Danube port, Giurgiu, is the major way to access Bucharest, when coming from the south of the country. Drive through this county in spring, when the earth is coming back to life, with lambs and apple trees in blossom. And drive when autumn is rich, the vineyards of golden grapes drunk with the fragrance of the new wine...

Ein anderer Donauhafen, Giurgiu, ist vom Süden des Landes aus die wichtigste Zugangsstrasse nach Bukarest. Wenn Sie diesen Weg im Frühjahr zurücklegen, werden Sie sehen, wie die Erde wieder zum Leben erwacht, voller Lämmer und blühender Apfelbäume. Oder Sie reisen in einem reichen Herbst, mit den Weingärten voller gelber Trauben, wenn einen der Duft des neuen Weins betört...

Autre port sur le Danube, Giurgiu ouvre la plus impotante route vers Bucarest direction Sud. Si vous y passez au printemps, vous verrez la terre renaître, plein d'agneaux et de pommiers en fleurs. Si vous choisiessez l'automne pour y venir, les vignes chargées des grapes dorées vous environt de leur parfum et de vin nouveau...

Giurgiu, clădirea Căpităniei, sec. XIX.   *Giurgiu, the Harbour Master's Office.*   Giurgiu, das Hofengebäude, XIX Jhr.   *Giurgiu, gare fluviale, XIX-ième s.*

Podul Prieteniei având lungimea de 2200 m, construit în anul 1954, face legătura feroviară şi rutieră peste Dunăre, între România şi Bulgaria.

The 2200 m long Bridge of Friendship, built in 1954, which makes the railway and highway connection across the Danube, between Romania and Bulgaria.

Die Freundschaftsbrücke, mit einer Länge von 2200 m, gebaut 1954, stellt die Eisenbahn- und Landstrassenverbindung über die Donau zwischen Rumänien und Bulgarien her.

Le Pont de l'Amitié long de 2200 m, construit en 1954, relie la Roumanie et la Bulgarie par chemins de fer et autoroute.

Piaţa Unirii din Giurgiu, cu Turnul Ceasornicului din sec. XVIII.

Union Square in Giurgiu, with the Clocktower from the 18th century.

Unirii-Platz in Giurgiu, mit dem Uhrturm aus dem XVIII. Jh.

La Place de l'Union de Giurgiu; la Tour de l'Horloge du XVIII-e. s.

Gorj

Parcul din Târgu Jiu, pe malul râului, este un loc sacru, legat direct de univers, datorită lui Brâncuşi. Ascultaţi-vă paşii, ei vă vor conduce prin Poarta Sărutului la Masa Tăcerii. Aşezaţi-vă pe o piatră cioplită de marele maestru şi rămâneţi puţin acolo, în tăcere, ca să ascultaţi armonia astrelor.

In Târgu Jiu in the park on the river bank there is a sacred place connected to the Universe by Brâncuşi. Listen to your steps: they will take you through the Gate of the Kiss to the Table of Silence. Sit down on a stone, hewn by the great master and stay there for a while and listen to the harmony of the spheres.

Der Park in Târgu Jiu, am Ufer des Flusses, ist ein heiliger Ort, wegen Brâncuşi unmittelbar mit dem Universum verbunden. Hören Sie auf Ihre Schritte, diese werden Sie durch das Tor des Kusses zur Runde des Schweigens führen. Setzen Sie sich auf einen vom grossen Meister behauenen Stein und verweilen Sie dort ein wenig in Stille, um der Harmonie der Gestirne zu lauschen.

Le parc de Târgu Jiu, situé au bord de la rivière, est un endroit sacré, directement lié au cosmos grâce à Brancusi. Laissez-vous porter au gré des pas, ils vous conduiront par la Porte du Baiser vers La Table du Silence. Assayez-vous sur une pierre taillée par le grand maître, écouter en silence l'harmonie de l'univers.

În satul Hobiţa, mai există casa în care s-a născut Brâncuşi, în anul 1876. Aceasta a fost declarată monument de arhitectură şi amenajată ca muzeu dedicat marelui artist. În apropiere, se află tabara de sculptură în piatră "Brâncuşiana".

In the village of Hobitza, there still stands the house, where Brancusi was born in 1876. It was declared an architectural monument and laid out as a museum devoted to the great artist. Nearby is the camp of sculpture in stone "Brâncuşiana".

Im Dorf Hobiţa steht noch das Haus, in dem 1876 Constantin Brâncuşi geboren wurde. Es wurde zum Architektur-Denkmal erklärt und als Gedenkstätte für den grossen Künstler eingerichtet.
In der Nähe befindet sich die Kolonie für Steinskulpturen "Brâncuşiana".

Dans le village de Hobitza on peut visiter la maison où, en 1876 naquit Brancusi. La maison est déclarée monument d'architecture et sert de musée dédié au grand artiste.
Pas très loin d'ici il y a le camp de sculpture en pierre "Brancusiana".

Piaţa Victoriei. Biserica-catedrală "Sf. Constantin şi Elena" ridicată între 1748–1764. Monumentul eroinei din primul război mondial, Ecaterina Teodoroiu, realizat de Miliţa Petraşcu, fostă elevă a lui Brâncuşi.

Victoria Square, with the "St. Constantine and Helena" cathedral-church, erected over 1748–1764. The monument of the heroine from WW 1, Ecaterina Teodoroiu, made by Miliţa Petraşcu - a former student of Brancusi.

Der Victoria-Platz, mit der Katedrale "Sf. Constantin şi Elena", zwischen 1748–1764 erbaut. Das Denkmal der Heldin aus dem Ersten Weltkrieg, Ecaterina Teodoroiu, geschaffen von Miliţa Petraşcu.

La Place de la Victoire. Au milieu, l'église-cathédrale "Saints Constantin et Hélène", bâtie entre 1748–1764. Le monument dédié à l'héroïne de la Première Guerre mondiale, Ecaterina Teodoroiu, oeuvre réalisée par Militza Petraşcu, ancienne élève de Brancusi.

Târgu Jiu, capitala judeţului Gorj. Clădirea din anul 1898 a Liceului "Tudor Vladimirescu" şi a Universităţii "Constantin Brâncuşi".

Târgu Jiu, the county seat. The building, from 1898, of the "Tudor Vladimirescu" Lycée and of the "Constantin Brancusi" University.

Das Gebäude aus dem Jahr 1889 beherbergt das Lyzeum "Tudor Vladimirescu" und die Universität "Constantin Brâncuşi".

Le Lycée "Tudor Vladimirescu" et, respectivement, l'Université "Constantin Brancusi" - édifice construit en 1898.

Harghita

În apropierea renumitei staţiuni Băile Tuşnad, apele lacului Sf. Ana reflectă lumina soarelui din craterul unui vulcan mort demult. Este un sentiment de seninătate absolută, la fel de adânc şi misterios precum legenda lacului.

Close to Tuşnad Băi, a renowned spa, St.Ana lake reflects the sunlight from the crater of a dead volcano. There is a feeling of serenity about it as deep and mysterious as its legend.

In der Nähe des berühmten Kurorts Băile Tuşnad widerspiegelt das Wasser des St. Annensees das Sonnenlicht im Krater eines längst erloschenen Vulkans. Es überkommt einen ein Gefühl der absoluten Gelassenheit, das ebenso tief und geheimnisvoll ist, wie die Legende des Sees.

Non loin de la célèbre station Băile Tuşnad, le lac de S-te Ana, situé dans le cratère du volcan éteint depuis longtemps, reflète la lumière du soleil. On y est envahi par une sérénité absolute, mystérieuse et profonde comme la légende du lac.

Miercurea Ciuc, capitala judeţului Harghita, este un oraş modern, cu hotele centrale şi magazine universale, astfel încât este greu să bănuieşti că el este atestat documentar din anul 1558.

Miercurea Ciuc, the seat of the county, is a modern city, with central hotels and general stores, so that it is hard to imagine that it was attested by documents as early as 1558.

Miercurea Ciuc, die Hauptstadt des Kreises, ist eine moderne Stadt so dass man nur schwer erahnen kann, dass die Stadt seit 1558 urkundlich belegt ist.

Miercurea Ciuc - chef-lieu du département de Harghita - ville moderne dont on devine à peine qu'elle fut attestée depuis 1558.

Lacul Ciucaş din staţiunea Băile Tuşnad, oferă vizitatorilor - vara ştrand, iarna patinoar.

The Ciucaş lake, from the Băile Tuşnad spa, provides visitors outdoor swimming facilities in summer and a skating rink in winter.

Der Ciucaş-See im Kurort Băile Tuşnad bietet den Besuchern im Sommer den Badestrand und im Winter den Eislaufplatz.

Le lac de Ciucaş de la station Băile Tuşnad offre aux touristes des possibilités de bains de soleil en été et, en hiver de patinoire.

Miercurea Ciuc dispune din 1972 de un patinoar artificial acoperit, cu 4000 de locuri, numit "Palatul de gheaţă". Echipa clubului de hochei este renumită ca fiind cea mai bună din ţară.

Since 1972, Miercurea Ciuc ranges over an indoor skating rink, with 4000 seats, surnamed "The Ice Palace". The team of the hockey club is famous for beeing the best throughout this country.

Miercurea Ciuc verfügt seit 1972 über einen Kunsteislaufplatz, 4000 Sitze, er wird "Eispalast" genannt. Die Hockey-Mannschaft ist als die beste im Land bekannt.

Miercurea Ciuc dispose depuis 1972 d'une patinoire artificielle couverte de 4000 places, surnommé "Le Palais de Glace". L'équipe du club de hockey en est rènomée dans tout le pays.

Hunedoara

Ruinele anticei Sarmizegetusa Dacica (stânga), cu celebrul calendar în aer liber, ce măsura fără greşeală anul de 365 de zile şi castelul Huniazilor din Hunedoara (jos), care dăinuie aici din secolul XIII - sunt o introducere într-un posibil ghid turistic al acestui judeţ. Să mai adăugăm că trenul trece de-a lungul Văii Jiului prin 41 de tunele săpate în piatra majestuoşilor munţi.

The ruins of ancient Sarmizegetusa Dacica, (on the right), with its famous outdoor calendar which defined ac-cuarately the year with 365 days and the Huniade Castle from Hunedoara (below) dating back to the 13th c., are entries in a possible tourist guide of this county.
Trains take the travellers in the Jiu valley through 41 tunnels dug in the mountains.

Die Ruinen des antiken Sarmizegetusa Dacica (links), mit dem berühmten Freilichtkalender, der fehlerlos das Jahr von 365 Tagen anzeigte und das Schloss der Huneaden in Hunedoara (unten), das seit dem XIII. Jh. besteht - das sind mögliche Ausgangspunkte für einen Reiseführer durch diesen Kreis. Die Eisenbahn in der Valea Jiului führt durch 41 Tunnels, die in den Stein der Berge gesprengt wurden.

Les ruines de l'antique Sarmizegetusa Dacica (à gauche), dont le célèbre calendrier en plein air montrait sans erreur les 365 jours de l'année; le château des Huniades de Hunedoara (en bas) qui date du XIII-e siècle - en voici une possible introduction d'un guide touristique de ce département. Ajoutons aussi les 41 tunnels creusés dans la pierre des montagnes tout le long de la Vallée de Jiu.

Biserica "Sf. Nicolae" din comuna Densuş a fost ridicată în secolele X - XIII, prin adăugiri repetate, din pietre, tuburi, coloane, altare, ale vechii cetăţi romane Ulpia Traiana Augusta Dacica Sarmizegetusa.

The "St. Nicholas" church, from the Densuş commune, was erected over the 10-12th c., by successive extensions, from stones, sewerage pipes, columns, votive altars from the Roman fortress Ulpia Traiana Augusta Dacica Sarmizegetusa.

Die Kirche "Sf. Nicolae" in der Gemeinde Densuş wurde im X.-XIII. Jh. erbaut, durch wiederholte Hinzufügungen von Steinen, Säulen, Altären der alten römischen Festung Ulpia Traian Augusta Dacica Sarmizegetusa.

L'Eglise "Saint Nicolas" de Densuşa fut bâtie entre les X-e - XIII-e siècles. On y ajouta tour à tour pierres, tuyaux, colonnes, chaires provenant de l'ancienne cité romaine Ulpia Trajana Augusta Dacica Sarmizegetusa.

Port popular specific din ţinutul Pădurenilor.

A characteristic folk costume of the mountain villagers, from the Pădureni area.

Kennzeichnende Volkstracht für die Waldbewohner.

Costume populaire du pays de Pădureni.

Munţii Retezat- Piatra lui Iorgovan. *The Retezat Mountains - Iorgovan's Rock.* Retezat-Gebirge - Der Felsen des Iorgovan. *Les Montagnes de Retezat - Le Rocher d'Iorgovan.*

Ialomiţa

Slobozia este unul dintre vechile orăşele, atestat din 1594, care a devenit relativ de curând capitală de judeţ. Înconjurată de păduri, cu rezervaţii cinegetice şi popasuri turistice, ea oferă vizitatorilor condiţii minunate de odihnă şi recreere, pe drumul dinspre Bucureşti spre mare.

Slobozia, one of the old small towns, from 1584, became quite recently a county seat. Surrounded by forests, with game reserves and touristic halting places it provides visitors with exquisite facilities for rest and recreation, on theit way from Bucharest to the sea-side.

Slobozia ist eine der alten Städte, es ist erst seit relativ kurzer Zeit Kreisvorort geworden, dadurch hat es auch ein modernes Aussehen erfahren. Umgeben von Wäldern, mit Jagdrevieren und Touristen-Herbergen finden die Besucher hier beste Erholungsbedingungen auf dem Weg von Bukarest ans Meer.

Slobozia, l'une des anciennes villes, devenue chef-lieu du département, aborde une allure moderne. Entourée de forêts, possédant des réserves cinégétiques et des lieux touris-tiques, elle offre les meilleurs conditions de repos et loisir, sur la route entre Bucarest et la mer.

Staţiunea Amara se bucură de renumele lacului cu apă sărată, din nămolul căruia se prepară produsele cosmetice Pelamar cunoscute în lumea întreagă.

Nearby the spa of Amara enjoys great popularity owing to its salt lake, also used in preparing cosmetics products Pelamar, known worldwide.

In der Nähe erfreut sich der Kurort Amara des Ruhms des Salzsees, aus dem auch die Kosmetika hergestellt werden, die in der ganzen Welt berühmt sind.

La station d'Amara, renomée pour son lac salé dont la boue sert à la réalisation de produits cosmétiques Pelamar conues dans le monde entier.

87

Iaşi

Capitală a Moldovei în sec. XV-XIX, Iaşiul este plin de istorie şi cultură. În timp, oraşul s-a transformat într-un mare centru industrial, ceea ce însă, nu l-a făcut să-şi piardă farmecul, blândeţea şi tradiţionala ospitalitate.

Din turnul Goliei, panorama Iaşilor se deschide în zare, întinsă pe şapte dealuri. În iunie, de aici de sus, se simte parfumul romantic al teilor care cresc pe toate străzile sale, ca şi în renumitul parc Copou.

Capital of Moldavia over the 15th-19th centuries, Jassy boasts a rich history and culture. In time the town has grown into a large industrial centre however retaining its charm, gentleness and traditional hospitality. From the tower of Golia the panorama of Jassy opens before one's eyes as the city spreads out on his seven hills. In June the romantic fragrance of the blossoms of linden trees, growing along its streets as well as in the famous Copou park, caresses the air.

Hauptstadt der Moldau im XV.-XIX. Jh., ist Iaşi voller Geschichte und Kultur. Mit der Zeit ist die Stadt zu einem grossen Industriezentrum geworden, dadurch hat sie jedoch ihren Zauber, ihre Milde und traditionelle Gastfreund-schaft nicht eingebüsst. Vom Golia-Turm betrachtet, öffnet sich das Panorama von Iaşi, die Stadt erstreckt sich über sieben Hügel. Im Juni verspürt man hier oben den romantischen Duft der Linden, die auf allen Strassen wachsen, ebenso im berühmten Copou-Park.

Capitale de la Moldavie du XV-e au XIX-e siècle, Iassy est une ville riche d'histoire et de culture. Avec le temps la ville est devenue un grand centre industriel sans rien perdre de sa beauté, de son charme, de ses traditions d'hospitalité. De la tour de Golia on peut admirer tout le panorama de la ville étendue sur sept collines. En juin l'air est embaumé par le parfum des fleurs de tilleul, venant du parc de Copou et des rues bordées de tilleuls.

Universitatea din Iaşi. Holul decorat de renumitul pictor român Sabin Bălaşa. În imagine, Mihai Eminescu, "Luceafărul" poeziei româneşti.

The University of Jassy. The hall decorated by the famous Romanian painter Sabin Bălaşa. In the picture: Mihai Eminescu, the "Morning Star" of Romanian poetry.

Die Universität in Iaşi. Die Eingangshalle wurde vom bekannten rumänischen Maler Sabin Bălaşa ausgeschmückt. Im Bild Mihai Eminescu, der "Abendstern" der rumänischen Dichtung.

L'Université de Yassi. Le grand hall, décoré par le grand peintre roumain Sabin Bàlaşa. L'image représente Mihai Eminescu - "L'Hypérion" de la poésie roumaine.

Palatul Culturii din Iaşi, construit între 1906-1926, în stil neogotic flamboyant, pe locul vechiului palat domnesc. Găzduieşte Muzeele de Istorie a Moldovei, de Artă, Etnografic şi Politehnic. Orologiul din turn anunţă ora exactă cu acorduri din "Hora Unirii".

The Palace of Culture from Jassy, built over 1906-1926, in flamboyant neo-Gothic style, on the site of the former princely palace. It houses the History Museum of Moldavia, the Art, Ethnographic and Polytechnic museums. The clock in the tower strikes the exact time with strains from the "Hora of the Union"

Der Kulturpalast in Iaşi, zwischen 1906-1926 im neugotischen Stil errichtet, an der Stelle des alten Fürstenhofs. Beherbergt das Geschichtsmuseum der Moldau, das Kunst-, Volkskunde- und Polytechnische Museum. Die Uhr im Turm kündigt die Stunden an mit Akkorden aus der "Hora Unirii".

Le Palais de la Culture de Iassy, construit entre 1906 - 1926, en style néogothique flamboyant, sur la place de l'ancien palais princier. On y trouve les Musées d'Histoire de Moldavie, d'Art, d'Ethnographie et de Polytechnique. L'horloge de la tour annonce les heures dans les accords de "La Ronde de l'Union".

Mănăstirea Trei Ierarhi din Iaşi, ctitorită în anul 1635 de domnitorul Vasile Lupu. Sculpturi în relief, iniţial aurite. Tipografie din 1640. Sediul "Academiei Vasiliene" între 1641–1821. Restaurată între 1882–1904. Muzeu cu colecţie de artă medievală.

The "Three Hierarchs'" Monastery in Jassy, founded by ruling-prince Vasile Lupu in 1635. Sculptured in relief, initially gilt. Printing-press since 1640. It housed the "Academia Vasiliană" over 1641–1821. Restored over 1882–1904. Museum with a collection of medieval art.

Das Kloster Trei Ierarhi in Iaşi, gestiftet 1635 vom Fürsten Vasile Lupu. Die Relief-Skulpturen waren ursprünglich vergoldet. Druckerei seit 1640. Sitz der "Academia Vasiliana" zwischen 1641–1821. Restauriert zwischen 1882–1904. Museum mit einer Sammlung mittelalterlicher Kunst.

Le Monastère Les Trois Hiérarches de Iassy, fondé en 1635 par le prince Vasile Lupu. Sculptures en relief, dorées au commencement. Typographie depuis 1640. Siège de "L'Académie Basilienne" entre 1641–1821. Restauré entre 1882–1904. Collection d'art médiéval.

Catedrala Mitropolitană Ortodoxă a Moldovei, din Iaşi, construită între anii 1833-1887, pictată de Gh. Tattarescu. Adăposteşte racla bogat decorată, cu moaştele Sf. Parascheva, considerată ocrotitoarea Moldovei. Moaştele au fost aduse în ţară de domnitorul Vasile Lupu, în anul 1641.

The Romanian Orthodox Metropolitan Cathedral of Moldavia, in Jassy, was built over 1833-1887 and painted by Gheorghe Tattarescu. It houses the richly decorated shrine with the holy relics of St. Parascheva, considered the patron saint of Moldavia. The holy relics were translated to this country by ruling-prince Vasile Lupu in 1641.

Katedrale der Orthodoxen Metropolie der Moldau in Iaşi, errichtet zwischen 1833-1887, ausgemalt von Gh. Tattarescu. Beherbergt den reich verzierten Schrein mit den Gebeinen der Hl. Parascheva, der Schutzherrin der Moldau. Die Gebeine wurden 1641 vom Fürsten Vasile Lupu ins Land gebracht.

La Cathédrale Métropolitaine Ortodoxe de Moldavie, construite à Iassy entre 1833 - 1887, peinte par Gh. Tattaràscu. On y abrite la châsse richement décorée aux reliques de Sainte Parascheva, protectrice de Moldavie. Les reliques furent emmenées au pays par le prince Vasile Lupu en 1641.

Ilfov

Înconjurând Bucureștiul cu sate pline de livezi și grădini, cu mănăstiri și palate așezate pe malul lacurilor, Ilfovul asigură capitalei locuri de agrement și reculegere.

Surrounding Bucharest with villages, rich in orchards and gardens, with monasteries and palaces, the Ilfov county provides places for rest.

Der Fluss Ilfov macht einen Bogen um Bukarest, fliesst durch Dörfer voller Wiesen und Gärten, mit Klöstern und Palasten.

Tout autour de Bucarest, Ilfov a de nombreux villages pleins de vergers et potagers ainsi que monastères et palais, de lieus de loisir et recuillement.

Mogoșoaia. Muzeul de Artă Brâncovenească. Incinta formată din palat, biserică, cuhnie și parcul în terase, a fost construită între 1688-1702, ca reședință de vară a domnitorului Constantin Brâncoveanu.

Mogoșoaia. The Museum of Brancovan Art. The precincts, including the palace, the church, the kitchen and the terraced park, was built over 1688-1702.

Mogoșoaia. Das Museum für Brâncoveanu-Kunst. Das Anwesen, bestehend aus dem Palast, der Kirche, dem Gesindehaus und dem terrassenförmigen Park wurde zwischen 1688-1702.

Mogoșoaia. Le Musée d'Art Brancovan. L'ensemble - palais, église, cuisine, parc en terrasses - fut construit entre 1688 - 1702, comme résidence d'été du prince Constantin Brancovan.

Mănăstirea Căldăruşani, ctitorită în 1638 de domnitorul Matei Basarab. *The Căldăruşani Monastery, founded by ruling-prince Matei Basarab in 1638.* Das Kloster Căldăruşani, 1638 vom Fürsten Matei Basarab gestiftet. *La Monastère de Căldăruşani, fondé en 1638 par le prince Matei Basarab.*

Maramureş

Maramureşul este celebru pentru bisericile sale seculare, construite din lemn, cu turnuri înalte şi pridvoruri sculptate, pentru porţile grele cu care locuitorii îşi înfrumuseţează casele, pentru tradiţiile pe care locuitorii le păstrează cu străşnicie. Ţară a lemnului, Maramureşul este şi ţara mineritului şi a florilor aduse din adâncul pământului, pe care Muzeul de flori de mină din Baia Mare, le expune cu dărnicie.

Maramureş has always been famous for its wooden churches with tall steeples and for the gates carved in wood with which the people here embellish their willages as well as for the traditions preserved with dedication. A land of wood, Maramureş is also a land of mining and the treasures held in the depth of the earth have been brought to light in the Museum of Mine Flowers in Baia Mare.

Die Maramuresch ist berühmt wegen ihren Jahrhunderte alten Holz kirchen, mit hohen Türmen und geschnitzten Pritschen, für das Brauchtum, das die Leute hier streng bewahren. Ein Land des Holzes, ist Maramuresch auch ein Land des Bergbaus und der Steinblumen, die aus der Tiefe der Erde geholt wurden und die im Fachmuseum in Baia Mare grosszügig ausgestellt sind.

Le Maramuresh reste célèbre par ses églises séculaires en bois, à hautes tours pointues, aux piliers sculptés, aux portes richement travaillées, par le paysans gardant fidèlement les traditions. Pays du bois, le Maramuresh est aussi le pays d'exploitation des mines, des fleurs du tréfonds de la terre que le Musée de Fleurs de Mine de Baïa Mare expose généreusement.

Capitala judeţului, Baia Mare, atestată în 1327.

The county seat, Baia Mare, was attested by documents in 1327.

Die Kreishauptstadt Baia Mare, seit 1327 urkundlich belegt.

Baïa Mare – chef-lieu du département, ville attestée en 1827.

↑Cimitirul "Vesel" din satul Săpânţa este renumit pentru desenele şi versurile satirice scrise pe cruce.

↑*The "merry" cemetery from the Săpântza village is famous for the satirical drawings and lines inscribed on the cross at the head of the graves.*

↑Der "Heitere Friedhof" im Dorf Săpânţa ist bekannt wegen seinen lustigen Zeichnungen und Versen auf den Grabkreuzen.

↑ *"Le Gai Cimetière" de Sàpânţa, renomé par les peintures et les vers satyriques inscrits sur les croix.*

Biserica din Bârsana este amintită din 1390, refăcută în 1806. Fost sediu al Episcopiei Maramureşului.

The church of Bârsana was mentioned as early as 1390, rebuilt in 1806. The former seat of the Episcopate of the Maramureş.

Die Kirche in Bârsana wird 1390 erwähnt, sie wurde 1806 wieder hergerichtet. Ehemaliger Sitz des Bistums Maramuresch.

L'église de Bârsana, attestée depuis 1390, reconstruite en 1806. Ancien siège de l'Episcopat de Maramureş.

Gospodărie tipic maramureşană, când începe cositul fânului.
A typical homestead from the Maramureş, at the beginning of haymaking.
Für die Maramuresch kennzeichnende Bauernwirtschaft, zu Beginn der
Heumahd.
Maison typiquement maramureçoise au temps du fauchage.

Înstruţatul boului este o sărbătoare tradiţională de primăvară în
Maramureş.
The decking of the ox is a traditional spring festivity in the Maramureş.
Das Schmücken des Ochsen ist ein traditionelles Frühjahrsfest in der
Maramuresch.
L'attifage du beuf - fête traditionnelle de printemps à Maramureş.

Sărbătoarea "Viflaim" în satul Breb. Colindă urşi, îngeri, ofiţeri...

The "Viflaim" Holyday in the Breb village. Bears, angels, officers...are singing carols.

Das "Viflaim"-Fest im Dorf Breb. Umzug mit Bären, Engeln, Offizieren.

La Fête de "Viflaim" dans le village de Breb. Ours, anges, officiers chantent des Noëls...

Mehedinți

Acesta este locul unde Dunărea întânește Carpații. În apropierea Porților de Fier, dorm somnul lor milenar ruinele unui pod care traversa Dunărea, amintindu-ne cât de trecătoare este gloria istoriei. Clădirile moderne, printre care cea a Romtelecom din Drobeta Turnu Severin, ne fac să ne gândim la cele mai noi realizări ale tehnicii ultimului secol.

Here is the land where the Danube meets the Carpathians. Close to the Iron Gates, the ruins of a bridge - which once crossed the Danube - are enwrrapped in their millenary sleep, as a reminder of the passing glory of history. The modern buildings among which that of Romtelecom from Drobeta Turnu-Severin, prompt us to think about the latest technological achievments of the last century.

Diese ist die Stelle, wo die Donau auf die Karpaten trifft. In der Nähe des Eisernen Tors schlafen ihren Jahrtausende alten Schlaf die Ruinen einer Donaubrücke, sie erinnern uns daran, wie vergänglich der Ruhm der Geschichte ist. Die modernen Gebäude, darunter jenes von Romtelecom in Drobeta-Turnu Severin lassen uns an die neuesten Leistungen der Technik denken.

C'est là que le Danube rencontre les Carpates. Près des Portes de Fer, dorment leur sommeil millénaire les ruines d'un pont qui traversa le Danube, témoignage de la gloire illusoire der l'histoire.
Les édifices modernes de Drobeta-Turnu Severin, voir Romtélécom, témoignent des réalisations technique de ce siècle.

Drobeta Turnu Severin. Muzeul regiunii "Porţile de Fier", inaugurat în 1912, reorganizat în 1972 cu Secţii de Istorie, Ştiinţele Naturii şi Etnografie.

Drobeta Turnu Severin. The Museum of the Iron Gates, opened in 1912, reorganized in 1972, with Sections of History, Natural Sciences and Ethnography.

Drobeta-Turnu Severin. Das Museum der Region "Eisernes Tor", 1912 eingerichtet umorganisiert 1972 mit Abteilungen für Geschichte, Naturwissenschaften und Volkskunde.

Drobeta-Turnu Severin. Le Musée des "Portes de Fer" inauguré en 1912, réorganisé en 1972 possède des sections d'Histoire, de Sciences Naturelles et d'Ethnographie.

Ruinele castrului roman Drobeta, construit după anul 101 d.Chr. de împăratul Traian, refăcut periodic de Aurelian în sec.II, Constantin cel Mare în sec. IV şi Justinian în sec.VI. pentru apărarea podului peste Dunăre.

The ruins of the Roman castrum of Drobeta, erected by emperor Trajan after 101 A.D. and rebuilt periodically by Aurelian in the 2nd c., Constantine the Great in the 4th c. and by Justinian in the 6th c. for the defence of the bridge across the Danube.

Die Ruinen des römischen Castrums Drobeta, nach dem Jahr 101 n. Chr. vom Kaiser Trajan erbaut, periodisch wieder hergerichtet im II. Jh. von Aurelian, im IV. Jh. von Konstantin dem Grossen und im VI. Jh. von Justinian zur Verteidigung der Donaubrücke.

Les ruines du castre romain de Drobeta construit après 101 ap. J. Ch. par l'empereur Trajan, restauré tout à tour par Aurélien au II-e. s., par Constantin le Grand au IV-e.s., par Justinien au VI-e.s., pour la défense du pont sur le Danube.

Mureş

Un important centru cultural începând cu sec. XVI, Târgu Mureş este un oraş al multor atracţii datorită faptului că a devenit o capitală modernă, industrializată. Iar Sighişoara, una dintre cele mai frumoase localităţi din România, îşi etalează ruinele din timpuri daco-romane şi fortăreţe medievale construite succesiv între sec. XV-XVIII.

An important cultural centre starting from the 16th c. Târgu Mureş is a city of many attractions and also a strong industrial and commercial town. Sighişoara, one of the most beautiful towns in Romania, treasures its Daco-Roman ruins and the medieval fortress built in successive layers between the 15th-18th c.

Ein bedeutendes Kulturzentrum beginnend mit dem XVI. Jh. ist Târgu Mureş eine Stadt mit vielfältigen Attraktionen, da es zu einer modernen industrialisierten Stadt geworden ist. Schässburg hingegen, eine der schönsten Ortschaften in Rumänien, zeigt die mittelalterlichen Festungsanlagen, die aufeinanderfolgend im XV.-XVIII. Jh. errichtet wurden.

Târgu Mureş, important centre culturel du XVI-e siècle, offre de nombreuses attractions d'une ville industrielle moderne. Sighişoara, l'une des blus belle ville de Roumanie étale ses ruines du temps daco-romain et ses fortresses médiévales construites successivement entre le XV-e et le XVIII-e siècle.

Târgu Mureş, Piaţa Teatrului Naţional.

Târgu Mureş. The square of the National Theatre.

Târgu Mureş. Der Platz des Nationaltheaters

Târgu Mureş, Place du Théâtre National.

Târgu Mureş. Prefectura Judeţului, clădire din 1907. Palatul Culturii ridicat în 1913 în stil secession- holuri largi, cu ornamentaţii florale; interioare fastuoase, cu oglinzi şi vitralii. Cuprinde Muzeul de Artă, Biblioteca Municipală şi sălile de concerte ale Filarmonicii.

Târgu Mureş. The Prefecture of the county, a building from 1907 and the Palace of Culture erected in 1913 in Secession style. Wide halls with floral ornamentations. Gorgeous interiors, with mirrors and stained-glass windows. It includes the Art Museum, the Municipal Library and the concert halls of the Philharmonic.

Târgu Mureş. Die Kreispräfektur, ein Gebäude aus dem Jahr 1907. Der Kulturpalast, 1913 im Sezession-Stil erbaut. Breite Flure, mit Blumenornamenten. Prachtvolle Interieurs, mit Spiegeln und Vitralien. Untergebracht sind hier das Kunstmuseum, die Munizipalbibliothek und die Konzertsäle der Philharmonie.

Târgu Mureş, La Préfecture du Département, construite en 1907, et le Palais de la Culture construit en 1913, en style sécession. Halls larges aux ornements floreaux. Intérieurs fastueux aux glaces et vitraux. On y trouve le Musée d'Art, la Bibliothèque Municipale et les salles de concerts de la Philarmonique.

Sighişoara. Municipiu, atestat în anul 1280. Cetate medievală din sec. XIV-XVII. În Turnul Ceasului, ridicat în sec. XIV, este amenajat Muzeul de Istorie.

Sighişoara. Municipality, attested by documents in 1280. A medieval fortress area of the 14-17th c. The Clock Tower, erected in the 14th c., houses the History Musum.

Sighişoara/Schässburg. Urkundlich belegt 1280. Mitelalterliche Stadt aus dem XIV.-XVII. Jh. Im Stundturm aus dem XIV. Jh. ist das Geschichtsmuseum eingerichtet.

Sighişoara, ville municipale attestée depuis 1280. Cité médiévale des XIV-XVII-e s. Dans la Tour de la Cloche élevée au XIV-e. s., il y a le Musée d'Histoire.

Sovata. Staţiune balneoclimaterică permanentă de interes internaţional. Atestată documentar 1597. Lacul heliotermal Ursul este cel mai mare din Transilvania.
→Fată în costum popular de pe Târnave.

Sovata. Pemanent spa of international attraction. Attested by documents in 1597. The heliothermal lake "The Bear" is the largest one in Transylvania.
→A girl in folk costume from the area of the Târnava rivers.

Sovata. Bade- und Luftkurort mit Ganzjahrbetrieb von internationalem Interesse. Dokumentarisch belegt seit 1597. Der heliotherme Bärensee "Ursul" ist der grösste in Transsilvanien.
→Mädchen in Volkstracht aus dem Kokelgebiet Târnave.

Sovata. Station balnéaire permanente d'intérêt national. Attestée en 1597. Le lac héliothermal Ursu c'est le plus grand de Transylvanie.
→Jeune fille en constume national de Târnave.

Neamţ

Munţii Ceahlău îşi reflectă frumuseţea maiestuoasă în oglinda lacului Bicaz.
O pace profundă, un simţământ de sfinţenie, datorat poate, mănăstirilor atât de numeroase în aceste locuri, ne învăluie şi ne protejează.

The Ceahlău Mountain cannot but reflect its majestic beauty in the blue mirror of Bicaz lake. Profound peace and a quiet of holiness surround and protect us maybe due to the numerous monasteries from these places.

Das Ceahlău-Gebirge widerspiegelt seine majestätische Schönheit im Spiegel des Bicaz-Sees. Ein tiefer Friede, ein Gefühl der Heiligkeit, das vielleicht auch auf die in dieser Gegend so zahlreichen Klöster zurückgeht, umhüllt und schützt uns.

Le massif de Ceahlău reflète sa majestueuse beauté dans la glace du lac de Bicaz. Une profonde paix nous protègent et nous bercent, dû peut-être à la présence de nombreux monastères de ces lieux.

Piatra Neamţ. Vedere generală şi de noapte.

Piatra Neamţ. Overall view.

Piatra Neamţ. Gesamtansicht und Nachtansicht.

Piatra Neamţ, vue d'ensemble; la nuit.

Mănăstirea Agapia, vedere generală. Ctitorită în 1644. Pictată în frescă de Nicolae Grigorescu între 1858-1861.
The Agapia Monastery, overall view. Founded in 1644. Painted in fresco by Nicolae Grigorescu over 1858-1861.
Das Kloster Agapia, Gesamtansicht. Gestiftet 1644. Nicolae Grigorescu malte die Fresken zwischen 1858-1861.
Le Monastère d'Agapia, vue d'ensemble. Fondé en 1644. L'église peinte en fresque par Nicolae Grigorescu entre 1858 - 1861 fut récemment restaurée.

Colindătorii cu sorcova urează de sănătate, de Anul Nou, şi primesc colaci de la toţi gospodarii satului.
The carol singers wishing good health with their "sorcova" at New Year, receiving lots of fancy bread from all the householders.
Die Kolinde-Sänger mit der Sorcova wünschen Gesundheit zum Neuen Jahr und bekommen von allen Wirten des Dorfes Kringel.
Les Chanteurs de Nouvelle Année font des voeux aux portes des villageois qui les remercient en leur offrant des craqulins.

Iarnă în Munţii Ceahlău, pe Valea Bistriţei. Baba Dochia nu şi-a lepădat încă cele nouă cojoace chiar dacă primăvara este pe aproape.

It's winter in the Ceahlău Mt. on the Bistriţa river valley. The "old hag Dochia" has not yet removed her nine sheepskin coats even though spring is drawing near.

Winter im Ceahlău-Gebirge, im Bistriţa-Tal. Die Baba Dochia hat ihre neun Schafpelze noch immer nicht abgelegt, selbst wenn der Frühling naht.

Hiver dans les Montagnes de Ceahlàu, dans la Vallée de Bistritza. La Vieille Dochia n'a pas encore enlevé ses neuf touloupes même si le printemps est près.

107

Olt

Spuneţi Slatina şi veţi spune aluminiu. Totuşi Oltul este o regiune agricolă importantă a ţării. Este firesc deci, ca aceasta să fie bogată în vechile tradiţii, precum jocul căluşarilor.

Say Slatina and you say aluminium. Yet Olt is also an important agricultural region. Rural culture in this area is rich in age-old traditions of course, such as the dance of the "Căluşari".

Sagen Sie Slatina und Sie werden Aluminium sagen. Trotzdem ist der Kreis Olt eine wichtige Landwirtschaftsregion des Landes. Es ist also nur natürlich, dass sie reich an alten Traditionen ist, wie dem Căluşari-Tanz.

Si on dit Slatina, on dit aluminium. Pourtant le pays de l'Olt est un importante région agricole de Roumanie. La richesse de ses traditions trouve dans la danse des Călushari sa plus parfaite illustration.

Slatina, capitala judeţului, atestată 1368. Podul peste râul Olt, cu o lungime de 400m, construit între anii 1888-1891.

Slatina, the county seat, attested by documents in 1368. The bridge across the Olt river, 400 m long, was built over 1888-1891.

Slatina, die Kreishauptstadt, urkundlich belegt 1368. Die Brücke über den Olt, mit einer Länge von 400 m, erbaut 1888-1891.

Slatina, chef-lieu du département, ville attestée en 1368. Le pont sur l'Olt, long de 400 m, fut construit entre 1888-1891.

Ansamblu de dansuri populare româneşti din zona etnofolclorică a Romanaţilor. Bogăţia şi diversitatea melodiilor, frumuseţea costumelor l-au făcut cunoscut în lume.

The group of Romanian folk dances from the ethno-folkloric area of Romanaţi. The wealth and diversity of the tunes, the beauty of the costumes made it famous worldwide.

Rumänisches Volkstanzensemble aus Zone Romanaţi. Der Melodienreichtum und die Schönheit der Volkstrachten haben es in der Welt bekannt gemacht.

Ensemble de danses populaires roumaines de la region ethno-folklorique de Romanatzi. La richesse et la diversité des mélodies, la beauté des costumes l'ont rendu célèbre dans tout le monde.

Caracal este un centru comercial cunoscut din vremea romanilor. Edificiul Teatrului a fost construit în anul 1873, în stil baroc târziu. Statuile de pe fronton reprezintă pictura, muzica, poezia şi teatrul.

Caracal is a trade center known as early as Roman times. The edifice of the Theatre was built in 1873, in late Baroque style. The statues, on the pediment, portray painting, music, poetry and the theatre.

Caracal, als Handelszentrum seit der Zeit der Römer bekannt. Das Theatergebäude wurde 1873 im späten Barockstil errichtet. Die Statuen an der Vorderfront versinnbildlichen die Malerei, die Musik, die Dichtkunst und das Theater.

Caracal, centre commercial du temps des Romains. Le Théâtre y fut construit en 1873 en style baroque tardif. Les statues du fronton symbolisent la peinture, la musique, la poésie et le théâtre.

109

Prahova

Exploatările petroliere în Prahova datează din sec. XIX, când petrolul era colectat la suprafaţă. S-a parcurs un drum lung de atunci, până la rafinăriile moderne şi construcţia de sonde pentru multe ţări din lume, care definesc judeţul ca pe un producător important în România. Meritoriu este şi locul său în cultură, dacă amintim muzeele din Ploieşti, Câmpina, Sinaia. În turism, valea Prahovei, care străbate munţii Bucegi, este neîntrecută în frumuseţe, în orice sezon.

Exploitation of oil reserves in Prahova dates back to the 19th c. It has come a long way to the modern oil refineries and derrick constructions in many countries of the world which define the county as a major producer in Romania. Noteworthy is also its place in culture, when mentioning the museums from Ploieşti, Sinaia, Câmpina. In tourism, the Prahova valley is of a matchless beauty all the year round.

Die Erdölausbeutung im Prahova-Gebiet rührt aus dem XIX. Jh. her. Seit damals wurde ein weiter Weg zurückgelegt, bis zu den modernen Raffinerien und Bohrtürmen, die für viele Länder der Welt gebaut werden, und die den Kreis als einen der wichtigen Produzenten in Rumänien kennzeichnen. Verdienstvoll ist auch sein Platz in der Kultur, wenn wir an die Museen in Ploieşti, Sinaia erinnern. Im Tourismus bleibt das Tal der Prahova, zu jeder Jahreszeit unübertroffen in seiner Schönheit.

Les exploitations pétrolières de Prahova datent du XIX-e s. Depuis, un long chemin fut parcouru pour arriver à la construction de nombreux puits pétroliers dans le monde ce qui fit du département de Prahova l'un des plus importants producteurs de Roumanie. Les musées de Ploieşti, Câmpina, Sinaïa, témoignent de sa richesse culturelle. Pour le tourisme, la Vallée de Prahova n'a pas son pareil dans toutes les saisons.

Ploieşti, capitala judeţului. Centru. Palatul Culturii construit între 1910-30.

Ploieşti, county seat. The Palace of Culture built over 1910-1930.

Ploieşti, Kreishauptstadt. Der Kulturpalast, zwischen 1910-30 erbaut.

Ploiesti, chef-lieu du département. Le Palais de la Culture, 1910 - 1930.

Munţii Bucegi. Vârful Caraiman privit din Buşteni. Crucea ridicată în anul 1926 la 2290 m altitudine, din grinzi metalice, în memoria eroilor din primul război mondial. Anual, în luna august este iluminată.

The Bucegi mountains, the Caraiman summit as seen from Buşteni. The cross, erected in 1926, at the altitude of 2290 m out of metal girders, in memory of the heroes of WW1. Annually, in August, it is lit up.

Das Bucegi-Gebirge, der Caraiman-Gipfel - von Buşteni aus betrachtet. Das Kreuz wurde 1926 auf einer Höhe von 2290 m aus Metallbalken errichtet zur Erinnerung an die Helden des Ersten Weltkrieges. Es wird jährlich im August beleuchtet.

Les Montagnes de Bucegi. La cime de Caraïman vue de Buşteni. En 1926, à 2290 m. de hauteur on y éleva une croix en métal, à la mémoire des héros de la Première Guerre mondiale. Au mois d'août, toutes les années, la croix est illuminée.

Sinaia. Castelul Peleş, construit între 1875-1883 de regele Carol I în stilul renaşterii germane. Muzeu Naţional.

Sinaia. The Peleş Castle, built by Carol I over 1875-1883. The National Museum.

Sinaia. Schloss Peleş, zwischen 1875-1883 von König Carol I. erbaut. Nationalmuseum.

Sinaïa. La Château de Peleş, construit par Carol I-er entre 1875-1883. Musée National.

Castelul dispune de 160 camere bogat ornamentate şi mobilate în stil german, englez, hispano-maur, italian, francez.

The Castle ranges over 160 halls, richly furnished in German, English, Italian, French, Hispano-Moresque style.

Das Schloss verfügt über 160 Zimmer, die möbliert sind im deutschen, spanisch-maurischen, englischen, französischen Stil.

Le château possède 160 salles en styles allemand, anglais, français, italien, hispano-maure.

113

Satu Mare

În nord-vestul României, ţara Oaşului nu încetează să-şi surprindă vizitatorii cu folclorul său specific, cu intensitatea culorilor costumelor populare şi bogăţia tradiţiilor care vin din vremea dacilor liberi. Capitala Satu Mare, întinsă pe ambele maluri ale Someşului este un oraş liniştit al Transilvaniei, care iubeşte viaţa. În împrejurimi, locuitorii au ridicat un centru de recreere cu dotări confortabile şi bazine de înot, perfect pentru o escapadă în mijlocul naturii la sfârşit de săptămână.

In the north-west of Romania, Oaş country never fails to surprise the visitor with its specific folk music and dance, with its colourful folk costumes and trhe richness of its traditions which have endured time. The county seat Satu Mare, spread out on both banks of Someş river is a quiet Transylvanian town liking life. On the outskirts of the town is an elegant recreation centre with comfortable facilities and swimming pools.

Im Nord-Westen Rumäniens, überrascht die Ţara Oaşului den Besucher nach wie vor mit der besonderen Volkskunst, der Intensität der Farben der Volkstrachten und dem Reichtum der Traditionen, die aus der Zeit der freien Daker herrühren. Der Vorort Satu Mare ist eine ruhige, aber lebensfrohe Stadt Transsilvaniens. In der Nähe haben die Bewohner ein Erholungs zentrum eingerichtet, mit entsprechender Ausstattung und Schwimmbecken, es ist geradezu geschaffen für einen Wochenendausflug in die Natur.

Au Nord-Ouest de la Roumanie, le pays de Oash n'arrête pas de surprendre les visiteurs par la variété de son folklore spécifique, par l'intensité des couleurs des costumes populaires, par la richesse de ses traditions qui viennent de loin, du temps des Daces libres. Satu Mare, ville paisible de la Transylvanie, s'etand sur les deux rives du Somesh. Un centre de loisirs doté de piscines et d'autrea facilités, reçoit les villageois en fin de semaine pour y jouir du cadre naturel.

În Ţara Oaşului, în prima duminică din luna mai, sate întregi urcă pe dealul Huta, la sărbătoarea "Sâmbra oilor". Ţăranii se îmbracă în costumele lor cele mai bune. După "jocul fetelor", un bătrân păstor rosteşte chemarea la sâmbră. Se întinde o masă comună, se cântă şi se dansează. A doua zi, ciobanii sunt conduşi la plecare cu turmele spre munte.

In the Oaş counry, on the first Sunday of May, entire villages climb up the Huta hill for the "Sâmbra oilor" festival. After the "girls' dance" an old stepherd utters the invitation to the "sâmbra". A common table is laid, people sing and dance. On the following day the shepherds are seen off upon their departure together with their flocks to the mountains.

In der Ţara Oaşului steigen am ersten Sonntag des Monats Mai ganze Dörfer auf den Huta-Berg zum Fest des Almauftriebs "Sâmbra oilor." Die Leute ziehen ihre besten Kleider an. Nach dem "Mädchentanz" spricht ein alter Hirte den Aufruf zur "Sâmbra". Ein gemeinsamer Tisch wird gedeckt, man singt und man tanzt. Am nächsten Tag werden die Hirten zum Almauftrieb der Herden begleitet.

Dans le Pays de Oaş, premier dimanche de mai, tous les villageois montent la colline de Huta pour la fête de "Sâmbra oilor". Ça commence par "La Danse des jeunes filles". Un vieux berger fait l'appel à la sâmbra. Tous participent au déjeuner commun, on y chante, on y danse. Le lendemain, les bergers mènent leurs troupeaux vers la montagne.

Sălaj

A venit toamna. Ultimele petale se vor ofili şi vor cădea curând. Verdele intens al verii rămâne numai în amintirea noastră şi în cupolele grădinii botanice. Totuşi, o călătorie de la Satu Mare spre Cluj, trecând prin Zalău este o plăcere toamna, ca în orice alt sezon. În păduri, aerul e răcoros, curat, aşteptând sosirea iernii.

Autumn is here. The last petals will wither and fall soon. The green shades of summer will be a memory in our minds and a presence in the botanical garden alone. Yet, a trip by car from Satu Mare to Cluj through Zalău can be as enjoyable in late autumn as in any other season.

Der Herbst ist da. Die letzten Blätter welken und werden bald vom Baum fallen. Das satte Grün des Sommers wird nur in unserer Erinnerung verbleiben und unter den Kuppeln des Botanischen Gartens. Dennoch wird eine Reise von Satu Mare nach Cluj, die durch Zalău führt, im Herbst ein Vergnügen sein, wie auch in jeder anderen Jahreszeit.

Et l'automne arriva. Les dernières feuilles vont bientôt tomber. Le vert de l'été se refugie dans les souvenirs et sous les vitres du jardin botanique. Et pourtant, rien de plus agréable qu'une excursion de Satu Mare à Cluj Napoca en passant par Zalău.

Zalău, capitala judeţului. Localitate atestată la 1220.

Zalău, the county-seat, was attested by documents in 1220.

Zalău, Kreishauptstadt, urkundlich belegt seit 1220.

Zalău, chef-lieu du département. Ville attestée en 1220.

Complexul arheologic de 200 ha de la Moigrad: fortificaţia getodacică Porolissum, sec. I d.Chr., şi aşezarea civilă romană din sec. II-III d.Chr. cu "Porta Praetoria".

The archaeological complex, from Moigrad, 200 ha: the Geto-Dacian fortification of Porolissum, and the Roman civil settlement, 2nd-3rd c. A.D., with "Porta Praetoria".

Der Archäologie-Komplex von Moigrad, 200 ha, ist gebildet aus der getodakischen Festung Porolissum aus dem I. Jh n. Chr. und der zivilen römischen Niederlassung Porolissum aus dem II. - III. Jh. mit "Porta Praetoria".

Le complexe archéologique de Moigrad, 200 ha, comprend la fortification getodacique de Porolissum (I-er siècle ap. J.Ch.) et le cite civil romain de Porolissum (II-III-e s., ap. J.Ch.) avec "Porta Praetoria" -

Jibou. Muzeul şi Grădina botanică dispun de 2000 mp de sere şi acvarii cu plante tropicale, 500 de specii florale, culturi de garoafe şi palmieri, sector dendrologic, sector de plante utile şi ornamentale.

Jibou. The museum and the botanical gardens are ranging over 2000sq.m. of greenhouses and aquariums with tropical plants, 500 floral species, cultures of carnations and palm trees, a dendrological section, a section of utilitarium and ornamental plants.

Jibou. Das Museum und der Botanische Garten verfügen über 2000 qm Treibhäuser mit Tropenpflanzen und aus dem Mittelmeer-Raum, 500 Blumenarten, Nelkenbeete und Palmen, eine dendrologische Abteilung, eine Abteilung für Nutz- und Zierpflanzen.

Jibou. Le Musée et le Jardin Botanique disposent de 2000 m.q. de serres où il y a des plantes tropicales et méditerranéennes de toute la terre, plus de 500 variétés de fleurs, des cultures d'oeillets et de palmiers, un secteur dendrologique, un autre de plantes médicinales et ornementales.

Sibiu

Unul dintre cele şapte oraşe-cetăţi ale Transilvaniei, Sibiul, păstrează încă fragmente din porţile medievale cioplite în piatră de meşterii locali. Muzeul Bruckenthal şi vechi biserici luterane, catolice şi ortodoxe susţin interesul pentru acest oraş.

Once one of the seven fortress-towns of Transylvania, Sibiu still preserves some of the medieval stone gates built by local craftsmen. The Bruckenthal Museum as well as old Lutheran, Catholic and Orthodox churches increase the interest of this city.

Eine der Sieben Burgen Transsilvaniens, bewahrt Sibiu/Hermannstadt noch Bruchteile der mittelalterlichen Tore, die von hiesigen Meistern in Stein gehauen wurden. Das Brukenthal - Museum sowie alte lutherische, katholische und orthodoxe Kirchen halten das Interesse an dieser Stadt wach.

Sibiu, l'une des sept villes-cité de Transylvanie, garde encore des vestiges des portes médiévales taillées en pierre par les maîtres de ces terres. Le Musée Brukenthal ainsi que les vieilles églises luthériens, catholiques ou ortodoxes, en voilà des raisons pour visiter cette ville.

Sibiu, capitala judeţului, atestat 1191. Piaţa Mare, în faţa Muzeului Brukenthal.

Sibiu, the county seat, atested by documents 1191. The square in front of the Brukenthal Museum.

Sibiu, die Hauptstadt des Kreises, seit 1191 urkundlich belegt. Grosser Ring mit Brukenthal-Museum.

Sibiu, chef-lieu du département, ville attestée depuis 1191. Grand-Place, devant le Musée Brukenthal.

Partea medievală a Sibiului: Turnul Ceasornicului de la Biserica Evanghelică şi fragment din zidul de apărare.

The medieval part of Sibiu: The Clock Tower of the Lutheran Church and a fragment from the defence wall.

Altstadt von Hermannstadt: Der Turm der Evangelischen Stadtpfarrkirche und Teile der Stadtmauer.

Sibiu, côté médiéval: La Tour de la Cloche et un fragment de la muraille de défense.

Munţii Făgăraş sunt cei mai înalţi din ţară (vârful Moldoveanu - 2543m). Dacă rulaţi pe Transfăgărăşan şi vedeţi la margine de drum un urs, nu vă temeţi - el vă cere doar un baton de ciocolată, după care se retrage mulţumit...

The Făgăraş Mt. are the highest in this country (Moldoveanu peak - 2543 m). While driving along the highway you might catch sight of a bear. Do not get scared! All he asks is a chocolate bar, after which he withdraws pleased...

Die Fogarascher Berge sind die höchsten im Land. Wenn Sie die Hochstrasse entlang fahren und einen Bären sehen, brauchen Sie keine Angst zu haben, er bittet Sie bloss um einen Schoko-Riegel, dann zieht er sich zufrieden zurück.

Les Montagnes de Făgăraş, les plus hautes du pays (La cime de Moldoveanu-2543m). Si vous rencontrez par hasard un ours au bord du chemin, n'ayez pas peur! Offrez-lui un bâton de chocolat et il en sera ravi.

Suceava

Când, în secolul al XV-lea, voievodul Ştefan cel Mare pornea din Suceava, însoţit de întreaga Curte, ca să asiste la slujba de la mănăstirea Putna, Moldova vuia de sunetele dulci ale clopotelor bisericilor sale. Astăzi, după cinci secole, sufletul românilor vibrează cu aceeaşi mândrie, când pronunţă acest nume sacru al istoriei lor.

When in the 15th c. ruling-prince Stephen the Great took his court from Suceava to attend the religious service at Putna monastery, the whole Moldavia used to vibrate with the sweet sound of church bells. Today, after five centuries, the souls of all Romanians vibrate with pride when these sacred names of their history is pronounced.

Als Woiwode Ştefan cel Mare von Suceava aufbrach, von seinem Hof begleitet, um dem Gottesdienst im Kloster Putna beizuwohnen, erschallte die ganze Moldau vom süssen Klang der Glocken. Heute, nach fünf Jahrhunderten, erfüllt sich die Seele der Rumänen mit dem gleichen Stolz, wenn dieser heilige Name aus ihrer Geschichte genannt wird.

Quand le voïvode Etienne-Le-Grand s'en allait à Suceava avec sa suite princière pour assister à la messe dans l'église du monastère de Putna, toute la Moldavie résonnait de sons des cloches. Aujourd'hui, à cinq siècle de ce temps, l'âme des Roumains palpite avec même fierté au souvenir de ce nom sacré de leur histoire.

Suceava. Ruinele cetăţii domneşti. *Suceava. The ruins of the princely fortress.* Suceava. Die Ruinen des Fürstenhofs. *Suceava. Les ruines de la Cité Princière.*

Mănăstirea Voroneț. Monument UNESCO. Fața vestică - Judecata de apoi. *The Voroneț Monastery. The western side - The Last Judgement.* Das Kloster Voroneț, UNESCO-Denkmal. Die Westseite - das Jüngste Gericht. *Le Monastère de Voronetz. Façade ouest - Le Jugement Dernier.*

Satul Ciocăneşti este celebru pentru casele sale, ornate în ceramică colorată, cu motivele brodate de ţărănci pe costumele populare. Lângă gard - o fântână cu roată având acoperişul din tablă zincată dantelată şi decorat cu oglinzi.

The Ciocăneşti village is famous for its houses, ornamented with colour ceramics, for the motifs embroidered by the peasant women on the folk costumes. Close to the fence - a draw-well with a roof of zinc-coated sheet-iron decorated with mirror shivers.

Das Dorf Ciocăneşti ist bekannt wegen seinen Häusern, die mit farbiger Keramik ausgeschmückt sind. Ebenso wegen den Mustern, die die Bäuerinnen auf die Volkstracht sticken. Neben dem Zaun ein Radbrunnen, mit dem Dach aus verzinktem Blech und mit Spiegeln ausgeschmückt.

Ciocăneşti - village célèbre pour ses maisons ornées en céramique coloriée, pour les costumes populaires richement brodés par les paysannes. Près de la palissade, une fontaine à la roue, le toit en tôle dentelée, décorée aux miroirs.

←Vatra Dornei. Staţiune balneoclimaterică permanentă, cu facilităţi turistice pentru ski pe pante line.

←*Vatra Dornei. Permanent spa with touristic facilities for skiing on gentle slopes.*

←Vatra Dornei. Bade- und Luftkurort mit Ganzjahrbetrieb. Möglichkeiten für Skisport auf sanften Hängen.

←*Vatra Dornei. Station balnéo-climatique permanente, renommée par les facilités touristiques de ski sur les pentes douces.*

→Nuntă la Fundu Moldovei. Nuntaşii au îmbrăcat vestitele bundiţe împodobite cu blăniţă de jder.

→*A wedding at Fundu Moldovei. The guests are wearing their sheepskin vests, decorated with marten fur.*

→Hochzeit in Fundu Moldovei. Die Hochzeitsgäste haben die Leibchen angezogen, geschmückt mit Marderfell.

→*Noces à Fundu Moldovei. Les participants sont parés de leurs vestes en cuir à la fourrure de martre.*

Teleorman

Aflat în sudul ţării, Teleormanul este judeţul verilor fierbinţi şi al iernilor geroase. Pământul fertil este principala sa bogăţie.

In the south of the country Teleorman is a county of hot summers and cold frosty winters. Land is its major treasure, rich and fertile.

Im Süden des Landes gelegen, bedeutet Teleorman den Kreis der heissen Sommer und frostigen Winter. Der fruchtbare Boden ist sein Hauptreichtum.

Situé au sud du pays, Teleorman est le département des étés torrides et des hivers glacés.

Capitala Alexandria, are privilegiul de a participa în fiecare an la festivalul oraşelor cu acelaşi nume, din lume.

Every year Alexandria, the county seat, has the priviledge of attending the Festival of cities bearing the same name.

Der Vorort Alexandria geniesst den Vorzug, sich jedes Jahr am Welt-festival der Städte mit dem gleichen Namen zu beteiligen.

Alexandria, chef-lieu du département, a le privilège de participer chaque année au festival international des villes portant le même non.

Clădirea Direcţiei Generale a Finanţelor Publice face fala Alexandriei.
Copiii preferă totuşi o ambianţă mai puţin selectă...

The building of the General Direction of Public Finances is the pride of Alexandria. However children prefer a less exclusive enviroment...

Das Gebäude der Generaldirektion der öffentlichen Finanzen macht den Stolz von Alexandria aus. Die Kinder bevorzugen dennoch eine weniger erlesene Umgebung...

L'immeuble de la Direction Générale des Finances Publiques dont la ville d'Alexandria s'enorgueille. Quant aux enfants, ils préfèrent une ambience moins esquise...

Timiş

Oraşul martir Timişoara va rămâne flacăra eternă a revoluţiei din decembrie 1989. Locuitorii săi, români, sârbi, maghiari, germani au trăit mereu în pace şi armonie aici, în inima bogatei provincii Banat.

The Martyr City of Timisoara is the eternal flame of the Romanian Revolution of December 1989. Its inhabitants, ethnic Romanians, Hungarians, Germans, Serbs have always lived together in peace and harmony here, in the heart of the rich Banat province.

Die Märtyrerstadt Temeswar wird eine ewige Flamme der rumänischen Revolution von 1989 bleiben. Seine Bewohner - sie sind rumänischer, deutscher, ungarischer, serbischer ethnischer Herkunft - haben stets in Frieden und Einvernehmen miteinander gelebt, hier im Herzen der reichen Banat.

Timishoara - ville martyre - restera à jamais le symbole de la révolution roumaine de décembre 1989. Ses habitants - Roumains, Serbes, Hongrois, Allemands ont toujours coexisté au coeur de cette riche province de Banat.

Lugoj. Podul peste râul Timiş construit în anul 1900 din fier filigranat.

Lugoj. The bridge across the Timiş river built in 1900 of filigree iron.

Lugoj. Die Brücke über den Fluss Timiş, 1900 erbaut.

Lugoj. Le Pont en fer filigrané construit en 1900 sur la rivière de Timiş.

Monumentul construit la intrarea în Timişoara, în memoria eroilor căzuţi în timpul revoluţiei anticomuniste din 16-22 decembrie 1989. ↓Scenă din spectacol, la Teatrul din Timişoara.

The monument built at the entrance into Timişoara, in memory of the heroes who fell during the anticommunist revolution of December 16th-22nd, 1989. ↓A scene from a performance at the Theatre of Timişoara.

Das Denkmal bei der Einfahrt nach Temeswar wurde zum Gedenken der Helden errichtet, die während der antikommunistischen Revolution vom 16.-22. Dezember 1989 gefallen sind.
↓Szene aus einer Vorstellung des Theaters Temeswar.

Le Monument élevé à la mémoire des héros martyres de la révolution anticommuniste de 16 à 22 décembre 1989, placé à l'entrée de Timişoara. ↓Scène de spectacle au Théâtre de Timişoara.

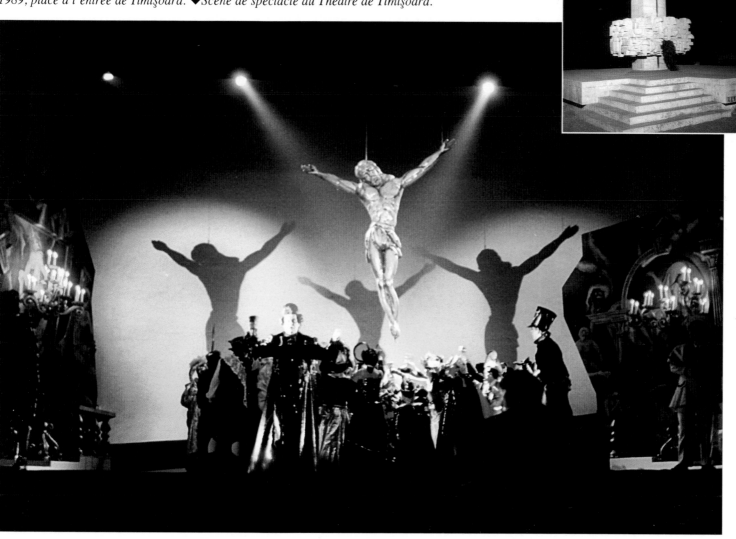

Timişoara. Hotelul Continental. Holul este decorat cu lucrări ale celebrului caricaturist român Ştefan Popa Popa's. Turiştii se opresc, privesc, zâmbesc şi pleacă grăbiţi... Hotelul este mereu aglomerat, pentru că oraşul este un centru cultural, universitar şi mai ales, de afaceri.

Timişoara. The "Continental" hotel. The lobby is decorated with works by the famous caricaturist Ştefan Popa Popa's. The tourists stop, stare, smile and leave in a hurry... The hotel is always crowded as the city is a cultural, university and a busines centre.

Temeswar. Hotel Continental. Die Eingangshalle ist mit Werken des berühmten Karrikaturisten Ştefan Popa Popa's ausgeschmückt. Die Touristen bleiben stehen, lächeln und eilen weiter... Das Hotel ist immer überfüllt, denn die Stadt ist ein Kultur-, Universitäts- und Geschäftszentrum.

Timişoara. L'Hôtel Continental. Le hall est décoré par les oeuvres du célèbre caricaturiste Ştefan Popa Popa's. Les touristes y s'arrêtent, regardent, sourient, puis s'en vont... L'hôtel est toujours complet car la ville est un grand centre culturel, universitaire et d'affaires.

130

Timişoara. Palatul şi Biserica Eparhiei Sârbeşti ridicate în 1748, în stil roman, refăcute în 1906. În interior, muzeu cu obiecte din bisericile sârbeşti din Banat.

Timişoara. The Palace and Church of the Serbian Eparchy, erected in 1748, in Roman style, rebuilt in 1906. Inside a museum displaying objects from Serbian churches in the Banat.

Timişoara. Der Palast und die Kirche des Serbischen Bistums. 1748 im römischen Stil errichtet, 1906 umgebaut. Ein Museum mit Gegenständen aus den serbischen Kirchen des Banats ist hier eingerichtet.

Timişoara. Le Palais et l'Eglise de l'Evêché Serbe, bâtis en 1748 en style romain, restaurés en 1906. A l'intérieur, un musée contenant des objets de culte serbe de Banat.

Tulcea

Când spun Tulcea, mulţi oameni se gândesc numai la Delta Dunării. Este nedrept să uite de munţii Măcinului, lanţul cel mai vechi din Europa, pe care bătrâneţea i-a cocârjat ca pe nişte dealuri. Dar, fireşte, delta este pământul mirific al apei şi al libertăţii, una dintre cele mai mari rezervaţii naturale ale continentului. O călătorie cu vaporaşul, de la Tulcea la Sulina şi mai departe, cu barca, pe canalele dintre braţele Dunării, este o ocazie nemaipomenită de a ne bucura de natura neviciată de viaţa modernă.

When they say Tulcea people think of the Danube Delta alone. Unjustly so, they forget the Măcin mountain chain - one of the oldest in Europe which ages have reduced to stone hills. But of course the Delta is the wonderful land of water and wildlife, one of the largest conservation areas in Europe. A trip by boat from Tulcea to Sulina or on the interior channels is a perfect occasion to enjoy unspoiled nature.

Wenn sie Tulcea sagen, denken viele Leute nur ans Donaudelta. Es ist ungerecht, wenn sie die Măcin-Berge vergessen, den ältesten Gebirgszug in Europa. Selbstverständlich jedoch bedeutet das Delta den zauberhaften Grund des Wassers und der Freiheit, eines der grössten Natur-reservate in Europa. Eine Reise mit dem Schiff von Tulcea nach Sulina, oder weiter mit dem Fischerboot durch die Kanäle zwischen den Donauarmen, bietet uns eine ausser-gewöhnliche Gelegenheit.

Le nom de Tulcea est lié du Delta du Danube. Comment oublier les montagnes de Măcin - la chaîne la plus ancienne de l'Europe, que le temps courba jusqu'à les reduiré en collines?! Et pourtant le delta reste la terre mirifique des eaux, l'une des plus grandes réserves naturelles du continent. En bâteau ou en barque de Tulcea à Sulina ou sur les canneaux, entre les bras du Danube, c'est revivre la joie de rencontrer la nature, loin de la vie moderne.

Tulcea. Privind oraşul dinspre port.   *Tulcea. Viewing the town from the port.*   Tulcea. Blick auf die Stadt vom Hafen aus.   *Tulcea. La ville vue du port.*

Colonia de pelicani din Delta Dunării este cea mai mare din Europa. Alte 300 de specii de păsări cuibăresc aici.

The colony of pelicans from the Danube Delta is the largest one in Europe. Over 300 species of birds are nestling here.

Die Pelikane-Kolonie im Donaudelta ist die grösste in ganz Europa. Weitere 300 Vogelarten nisten hier.

La collonie de pélicans du Délta du Danube est la plus importante d'Europe. Plus de 300 variétés d'oiseaux viennent y faire leur nid.

133

Vaslui

Ninge în România. Viile dorm sub zăpadă. În rădăcinile lor însă, zvâcneşte seva anului care vine. În pivniţe, vinul îmbătrâneşte în butoaie. Veniţi să beţi un pahar de vin cu noi! Noroc!

It snows in Romania. Vineyards are asleep under spotless snow. Their roots are filtering the vintage of the year to come. In wine cellars old wines are drunk. Come and have a glass with us! Cheers!

Es schneit in Rumänien. Die Weinberge schlafen unter dem Schnee. In ihren Wurzeln jedoch pocht der Saft des kommenden Jahres. In den Kellern reift der Wein in den Fässern Leeren Sie einen Becher Wein mit uns! Prosit!

Il neige sur la terre. Les vignes dorment sous la couche blanche. Dans les racines, la sève qui va monter au printemps nouveau reste dans l'attente. Dans les caves le vin vieillit dans les tonneaux. Allons boire une coupe de vin! A votre santé!

Vaslui. Basorelief realizat în memoria eroilor din Primul Război Mondial. Printre aceştia, purta steagul regimentului său, Constantin Ţurcanu, eroul din războiul de Independenţă din 1877.

Basrelief wrought in memory of the heroes from WW1, when the famous soldier surnamed Peneş Curcanu, hero from the Independence War, was carrying the banner of his regiment.

Vaslui. Basrelief zur Erinnerung an die Helden des I. Weltkrieges. Unter diesen trug die Regimentsfahne Constatin Ţurcanu, der Held des Unabhängigkeitskriegs von 1877.

Bas-relief réalisé à la mémoire des héros de la Première Guerre mondiale. Parmi eux - Constantin Ţurcanu, héros de la Guerre d'Indépendance, le drapeau de son régiment à la main.

Sărbătoarea Viei şi Vinului este tradiţională pentru locuitorii din judeţul Vaslui şi pentru invitaţi din întreaga ţară. Podgoria din Huşi este medaliată pentru renumitele soiuri: Zghihara şi Busuioaca de Bohotin . În Huşi există Muzeul Viticol, amintind că aici s-a fondat prima vinotecă din România.

The Festival of the Vine and the Wine is traditional for the Vaslui county. The vineyard from Huşi has been medalled for the famous vine varieties: Zgihara and Busuioaca de Bohotin. In Huşi there exits a Viticultural Museum.

Das Wein- und Traubenfest gehört zur Tradition für die Bewohner des Kreises Vaslui. Das Weinbaugebiet Huşi erhielt Medaillen für die berühmten Sorten Zghihara und Busuioaca de Bohotin. In Huşi gibt es das Weinbaumuseum.

La Fête du Vin et de la Vigne attire dans le département de Vaslui beaucoup de monde de tout le pays. Le vignoble de Huşi est médalié pour ses vins de Zghihara et de Busuioaca de Bohotin. A Huşi il y a un Musée Viticol.

Vâlcea

De la Râmnicu Vâlcea spre nord, pe şosea, maşinile rulează paralel cu Oltul, prin Govora, Călimăneşti, Căciulata. Acestea sunt un lanţ de staţiuni balneoclimaterice renumite pentru apele lor minerale. În apropiere, mănăstirea Cozia îşi trăieşte cu seninătate viaţa monahală, seculară.

From Râmnicu Vâlcea to the north the highway runs parallel to the Olt river through Govora, Căciulata, Călimăneşti - a chain of spas famous for their mineral water springs. Close by, Cozia Monastery lives its serene centuries-old monastic life.

Von Râmnicu Vâlcea nach Norden rollen die Autos parallel mit dem Olt, durch Govora, Călimăneşti, Căciulata. Dies ist eine Kette von Kurbädern, sie sind wegen ihrem Mineralwasser berühmt. In der Nähe lebt das Kloster Cozia voller Gelassneheit das Jahrhunderte alte Mönchsdasein.

De Râmnicu Vâlcea vers le nord, la route longe le lit de l'Olt et traverse Govora, Călimăneşti, Căciulata - un collier de stations balnéaires renommées pour leurs eaux minérales. Le monastère de Cozia étale sa sérénité séculaire où la vie monachale s'écule selon les coutumes de toujours.

Râmnicu Vâlcea văzut de pe digul lacului de acumulare.

Râmnicu Vâlcea as seen from the embankment of the storage lake.

Râmnicu Vâlcea, vom Damm des Stausees gesehen.

Râmnicu Vâlcea, vue de la digue du lac d'accumulation.

Râmnicu Vâlcea, capitala judeţului, este atestată documentar din anul 1290. Palatul Culturii, amenajat în clădirea "Goetheană" din 1906 a fostului Tribunal. Aici se află Muzeul Judeţean de Istorie şi Arheologie înfiinţat în 1951.

Râmnicu Vâlcea, the county seat, was attested by documents in 1290. The Palace of Culture, set up in the "Goethean" building from 1906 of the former Law Court. It houses the County Museum of History and Archaeology, set up in 1951.

Râmnicu Vâlcea, die Kreishauptstadt, ist urkundlich belegt seit 1290. Der Kulturpalast wurde im "Goethehaus" aus 1906 eingerichtet, dem späteren Tribunal. Hier befindet sich das Kreismuseum für Geschichte und Archäologie, 1951 gegründet.

Râmnicu Vâlcea, chef-lieu du département, attestée en 1290. Le Palais de la Culture fonctionne dans l'édifice "Goethéen" de l'ancien tribunal. On y abrite le Musée Départemental d'Histoire et d'Archéologie fondé en 1951.

Cojocăritul este şi astăzi ocupaţie tradiţională pentru vâlceni.
Muzeul Memorial amenajat în anul 1968 în conacul părintesc al istoricului Nicolae Bălcescu, figură centrală a revoluţiei române din 1848.

The furrier's trade is the traditional pursuit of the inhabitants of Vâlcea county, to these days.
The Museum set up in 1968 in the parental mansion of historian Nicolae Bălcescu, a central personality of the Romanian revolution of 1848.

Die Pelzherstellung ist auch heute noch eine traditionelle Beschäftigung im Kreis Vâlcea.
Das Gedenkmuseum wurde 1968 im väterlichen Konac von Nicolae Bălcescu eingerichtet, er war eine Hauptfigur der rumänischen Revolution von 1848.

La toulouperie - occupation traditionnelle dans le pays de Vâlcea.
Le Musée Mémorial "Nicolae Bălcescu", ouvert en 1968 dans la maison paternelle de l'historien Nicolae Bălcescu - représentant marquant de la Révolution roumaine de 1848.

Vrancea

În Vrancea, acolo unde Transilvania se întâlneşte cu Moldova şi Muntenia, este pământul care a dat "Mioriţa", cea mai impresionantă baladă a folclorului românesc. Ea povesteşte despre trecerea de la viaţă la eternitate. Poezie şi filozofie, "Mioriţa" cuprinde însăşi spiritualitatea românească.

In Vrancea where Transylvania meets with Moldavia and Wallachia, is the land which gave us the most moving ballad about life's transition into eternity - Mioriţa. It is poetry and it is philosophy, it is the Romanian spirit itself.

In Vrancea, dort wo sich Transsilvanien mit der Moldau und Muntenien begegnet, befindet sich der Boden, aus dem die "Mioriţa" hervorgegangen ist, die beeindruckendste Ballade der rumänischen Folklore. Dichtung und Philosophie, enthält "Mioriţa" die rumänische Geistigkeit selbst.

Cette terre où se rencontrent les trois pays roumains - la Transylvanie, la Moldavie et la Valachie - donna la ballade de Mioriţa, chef-d'oeuvre de l'art littéraire folklorique. Elle parle de la vie et la mort. Poésie et philosophie, Mioriţa est l'essence-même de la spiritualité roumaine.

Focşani, capitala judeţului, atestată documentar 1482. Palatul Administrativ.

Focşani, the county seat, attested by documents in 1482. The Administrative Palace.

Focşani, die Kreishauptstadt, urkundlich belegt seit 1482. Der Verwaltungspalast.

Focşani, chef-lieu du département, ville attestée en 1482. Le Palais Administratif.

Focşani. Obeliscul Unirii din 1859, Biserica domnească Sf. Ioan Nou din 1661 şi ↓
Monumentul Independenţei din 1877 arată cât de încărcat cu istorie este pământul românesc.

Focşani. The Obelisk of the Union of 1859, the "St. John the New" Princely Church from 1661 and ↓the Monument of Independence of 1877 testify to the historical wealth borne by Romanian land.

Focşani. Der Obelisk der Vereinigung von 1859, die Fürstenkirche Sf. Ioan Nou von 1661 und ↓ das Unabhängigkeits-Denkmal von 1877 zeigen wie geschichtsträchtig der Boden Rumäniens ist.

Focşani. L'Obélisque de l'Union des Principautés de 1859, L'Eglise princière "Saint Jean le Nouveau" de 1661 et ↓le Monument de L'Indépendence de 1877, témoignages de l'histoire de la Roumanie.

BIBLIOGRAFIE

Constantin C. Giurescu,   *Scurtă istorie a românilor*,
Dinu C. Giurescu   ed. Ştiinţifică şi Enciclopedică, Bucureşti, 1977

Stela Mariana Checiu   *Vizitaţi România*,
                                 ed. Alcor Edimpex, Bucureşti, 1997

x x x   *Biserici şi mănăstiri ortodoxe din România*,
                                 cu prefaţa "Terra Mirabilis" de dr. Mihail Diaconescu,
                                  ed. Alcor Edimpex, Bucureşti, 1998

Stephen Fisher,   *O istorie a românilor*,
Dinu C. Giurescu,   Fundaţia Culturală Română, Cluj-Napoca, 1998

dr. Napoleon Săvescu   *Noi nu suntem urmaşii Romei*,
                                 ed. Intact, Bucureşti, 1999

x x x   *Bucureşti*,
                                 ed. Alcor Edimpex, Bucureşti, 1999

Tipărit la CNI CORESI